UN LIVRE DONT VOUS ÊTES LE HÉROS

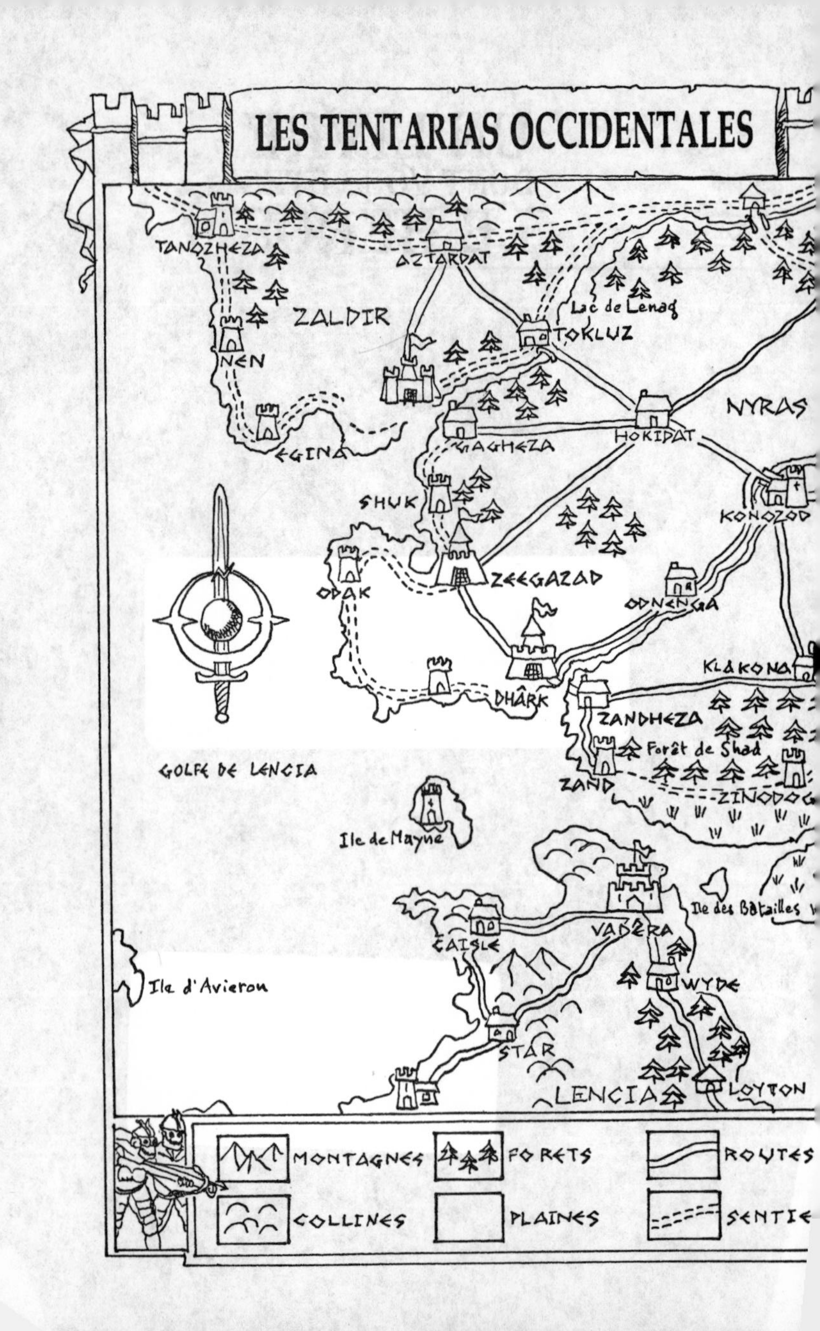
LES TENTARIAS OCCIDENTALES
TANOZHEZA
AZTARDAT
ZALDIR
NEN
Lac de Lenag
TOKLUZ
NYRAS
HOKIDAT
EGINA
GAGHEZA
SHUK
KONOZOD
ODAK
ZEEGAZAD
ODNENGA
DHÂRK
KLAKONA
ZANDHEZA
Forêt de Shad
ZAND
ZINODOG
GOLFE DE LENCIA
Ile de Mayne
Ile des Batailles
VADERA
CAISLE
Ile d'Avieron
WYDE
STAR
LENCIA
LOYTON
MONTAGNES
FORETS
ROUTES
COLLINES
PLAINES

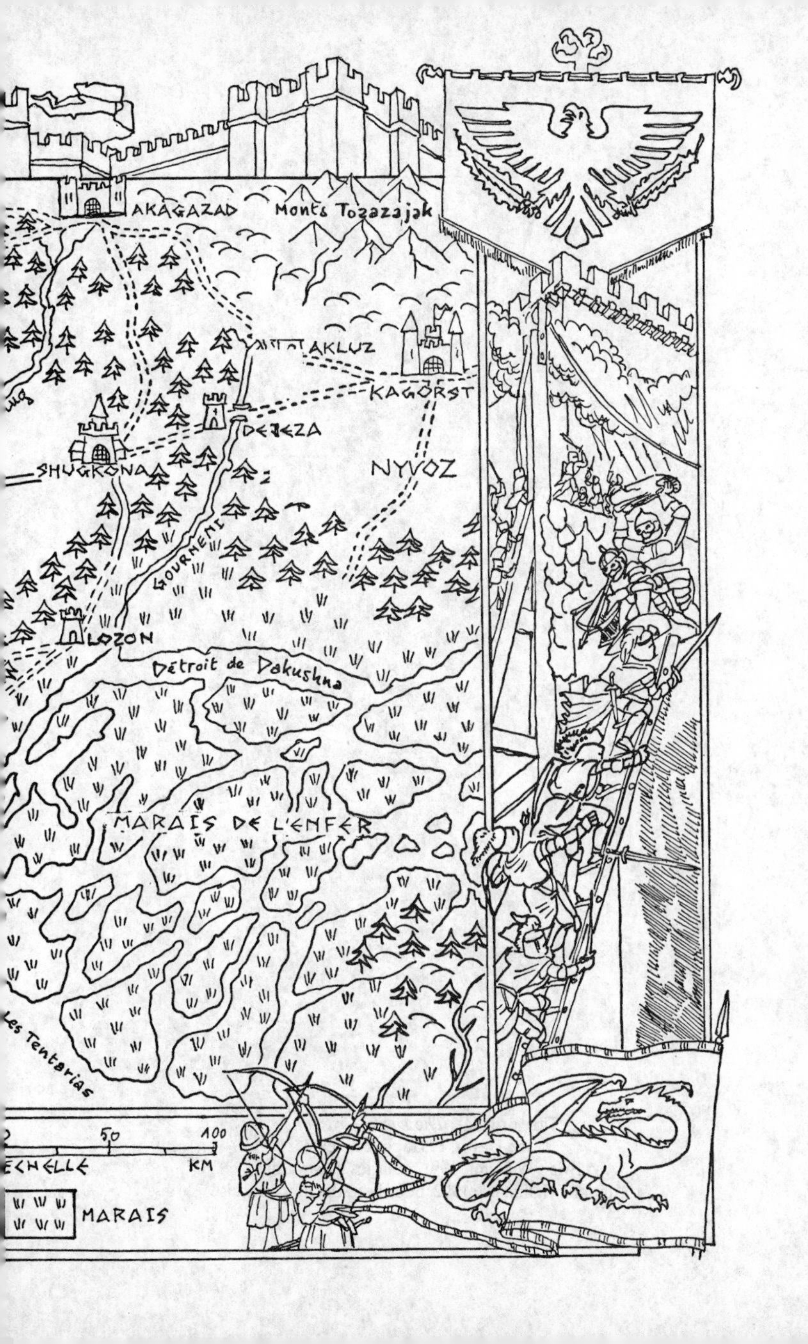

AKAGAZAD
Monts Tozazajak
AKLUZ
KAGORST
DEJEZA
SHUGKONA
NYVOZ
GOURNENI
LOZON
Détroit de Dakushna
MARAIS DE L'ENFER
Les Tentarias
0
50
100
ECHELLE
KM
MARAIS

Connaissez-vous
les autres aventures de la série
LOUP SOLITAIRE ?

1. Les Maîtres des Ténèbres
2. La Traversée Infernale
3. Les Grottes de Kalte
4. Le Gouffre Maudit
5. Le Tyran du Désert
6. La Pierre de la Sagesse
7. La Forteresse Maudite
8. Dans l'Enfer de la Jungle
9. La Métropole de la Peur
10. Dans les Entrailles de Torgar
11. Les Prisonniers du Temps
12. Le Crépuscule des Maîtres
13. Les Druides de Cener
14. Le Captif du Roi-Sorcier
15. La Croisade du Désespoir
16. L'Héritage de Vashna
17. La Tour de Cristal
18. La Porte d'Ombre
19. Le Combat des Loups
20. La Malédiction de Naar

Joe Dever

La Croisade du désespoir

Illustrations de Brian Williams

Traduit de l'anglais
par Nicolas Grenier

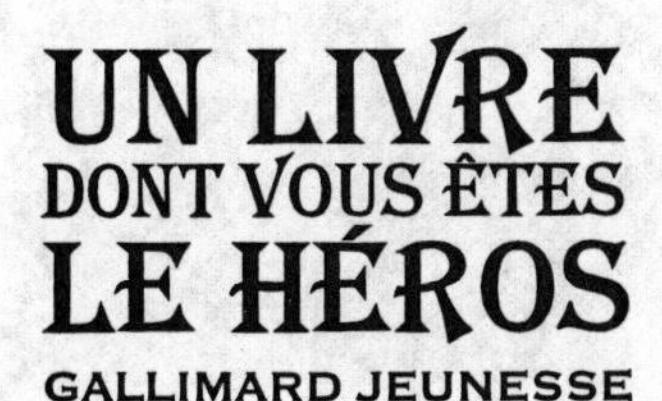

Sommaire

Attention !

Cher lecteur,

Ce livre te propose de devenir le héros imaginaire d'aventures fantastiques. Grâce à ses pouvoirs surnaturels, tu lui feras traverser des épreuves extrêmement périlleuses. Nous te rappelons que tu ne dois en aucun cas tenter de reproduire dans la vie réelle les situations décrites dans ce livre car tu pourrais te mettre gravement en danger.

GRANDES DISCIPLINES

Notes

1

2

3

4

5 (Si vous avez accompli avec succès votre première mission de Grand Maître Kaï)

6 (Si vous avez accompli avec succès votre deuxième mission de Grand Maître Kaï)

7 (Si vous accomplissez avec succès cette troisième mission de Grand Maître Kaï)

SAC A DOS (10 objets maximum)	**REPAS**
	(-3 points d'ENDURANCE si vous n'avez pas de repas au moment voulu)
	BOURSE
	(50 Pièces d'Or maximum)

FEUILLE D'AVENTURE

HABILETÉ	ENDURANCE
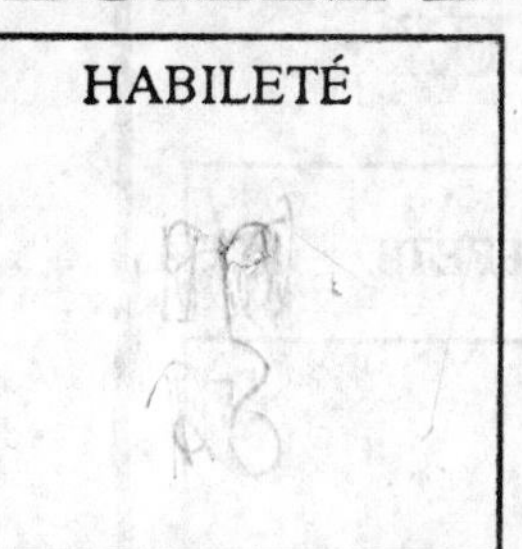	(Ne pas dépasser le total de départ; zéro = mort)

DÉTAIL DES COMBATS

LOUP SOLITAIRE	Quotient d'attaque	ENNEMI
LOUP SOLITAIRE	Quotient d'attaque	ENNEMI
LOUP SOLITAIRE	Quotient d'attaque	ENNEMI
LOUP SOLITAIRE	Quotient d'attaque	ENNEMI
LOUP SOLITAIRE	Quotient d'attaque	ENNEMI
LOUP SOLITAIRE		

OBJETS SPÉCIAUX

DESCRIPTION	EFFETS

LISTE DES ARMES

ARMES (2 armes maximum)
1
2

SCIENCE DES ARMES	
POIGNARD	LANCE
MASSE D'ARMES	SABRE
MARTEAU D'ARMES	ARC
HACHE	ÉPÉE
BATON	GLAIVE

CARQUOIS ET FLÈCHES	
Carquois	Nombre de flèches transportées
OUI/NON	

Règles du jeu

Vous trouverez au début de ce livre une *Feuille d'Aventure* sur laquelle vous inscrirez tous les détails de votre quête. Il est conseillé d'en faire des photocopies qui vous permettront de jouer plusieurs fois.

Pendant cinq ans, depuis la défaite des Seigneurs des Ténèbres, vous avez développé vos aptitudes au combat (HABILETÉ) et votre forme physique (ENDURANCE). Avant de commencer cette troisième aventure en tant que Grand Maître Kaï, il vous faut évaluer les résultats pratiques de votre entraînement. Prenez un crayon et, les yeux fermés, posez la mine sur la *Table de Hasard* qui figure en dernière page. Si vous désignez le chiffre 0, vous n'obtenez aucun point.

Le premier chiffre que votre crayon aura montré sur la *Table de Hasard* représentera votre habileté au combat. Ajoutez 10 à ce chiffre et inscrivez le total obtenu dans la case HABILETÉ de votre *Feuille d'Aventure* (si par exemple votre crayon indique le chiffre 4 sur la *Table de Hasard*, vos points d'HABILETÉ seront de 14). Lorsque vous aurez à combattre, il faudra mesurer votre HABILETÉ à celle de votre adversaire. Il est donc souhaitable que votre total d'HABILETÉ soit le plus élevé possible.

Le second chiffre que vous désignerez sur la *Table de Hasard* représentera votre capacité d'ENDURANCE. Ajoutez 20 à ce chiffre et inscrivez le total obtenu dans la case ENDURANCE de votre *Feuille d'Aventure* (à titre d'exemple, si votre crayon indique le chiffre 6 sur la *Table de Hasard*, le total de vos points d'ENDURANCE sera de 26).

Si vous êtes blessé lors d'un combat, vous perdrez des points d'ENDURANCE, et si jamais votre ENDURANCE tombe à zéro, vous saurez alors que votre aventure est terminée. Au cours de votre mission, vous aurez la possibilité de récupérer des points d'ENDURANCE mais votre total d'ENDURANCE ne pourra en aucun cas dépasser celui dont vous disposiez au départ de votre mission.

Si vous avez mené avec succès l'une ou l'autre des précédentes aventures de la série du Loup Solitaire, vos points d'HABILETÉ et d'ENDURANCE vous sont déjà connus et c'est avec ces mêmes éléments que vous entreprendrez le présent volume. Ces totaux peuvent comprendre les points supplémentaires de Science des Armes, de Science Médicale et de Foudroiement Psychique que vous avez pu obtenir en achevant le premier cycle des aventures du Loup Solitaire (volumes 1 à 5) ou le deuxième (volumes 6 à 12). Vous ne pourrez bénéficier de ces points supplémentaires que si vous avez effectivement accompli ces précédentes aventures. Vous pourrez aussi emporter dans cette nouvelle aventure les armes et objets qui se trouvaient en votre possession à la fin de votre précédente mission : vous devrez alors les inscrire en détail sur votre *Feuille d'Aventure* (vous n'avez toujours pas droit à plus de deux armes mais vous pouvez maintenant emporter dix objets dans votre Sac à Dos).

Cependant, parmi tous les Objets Spéciaux provenant des deux premiers cycles d'aventures du Loup Solitaire (volumes 1 à 5 et 6 à 12), vous ne pourrez emporter dans le troisième cycle (volume 13 et suivants) que ceux qui sont compris dans la liste ci-dessous :

Pendentif de l'Étoile de Cristal
Masse incrustée de Bijoux
Glaive de Sommer
Arc d'Argent de Duadon
Heaume d'Argent
Helshezag
Poignard de Vashna
Cotte de Mailles de Kagonite

Les Disciplines Magnakaï

Au cours de votre ascension vers le rang de Grand Maître Kaï, vous êtes parvenu à maîtriser les dix Disciplines Magnakaï. Ces dix Disciplines vous ont procuré un formidable arsenal d'aptitudes naturelles qui vous ont permis d'avoir raison des agents et des champions de Naar, le Roi des Ténèbres. Voici un bref récapitulatif de ces aptitudes.

Science des Armes

Maîtrise de tout type de combat rapproché ou à l'arme de jet. La maîtrise du combat à mains nues évite toute diminution du total d'HABILETÉ en cas de combat sans arme.

Contrôle Animal

Communication avec la plupart des animaux, et contrôle partiel des créatures hostiles. Possibilité de se servir d'animaux sauvages comme guides et aptitude à neutraliser les sens du goût et du toucher de créatures peu sensibles.

Science Médicale

Restauration (pour soi-même ou pour quelqu'un d'autre) des points d'ENDURANCE perdus au combat jusqu'à retrouver le total de départ. Neutralisation de poisons, venins et gaz toxiques. Guérison des blessures les plus sérieuses.

Invisibilité

Dissimule en même temps la chaleur et l'odeur du corps, et étouffe les sons. Permet aussi de modifier partiellement l'apparence du corps.

Art de la Chasse

Donne la possibilité de se nourrir dans la nature, augmente l'agilité, rend le regard plus perçant et l'odorat plus fin, permet la vision de nuit.

Exploration

Lecture des langues inconnues, décryptage des symboles, repérage des empreintes et des pistes.

Foudroiement Psychique

Attaque grâce à la puissance de l'esprit, introduction dans les objets de vibrations qui les disloquent. Permet de jeter la confusion dans les rangs ennemis.

Écran Psychique

Protège contre l'hypnose, les illusions surnaturelles, les charmes, la télépathie hostile et les esprits malins. Capacité à faire dévier et renvoyer l'énergie psychique hostile.

Nexus

Déplacement de petits objets par la force de l'esprit, aptitude à supporter les températures extrêmes, extinction des feux par la seule force de la volonté, immunité partielle aux flammes, aux gaz toxiques, aux liquides corrosifs.

Intuition

Sens du danger imminent, détection d'ennemis invisibles ou cachés, détection des phénomènes et des créatures magiques. Dans certains cas, pouvoir de quitter son corps et de voyager par l'esprit.

Grandes Disciplines Kaï

En cherchant à atteindre l'ultime perfection de vos pouvoirs Magnakaï, vous vous engagez dans un domaine de la sagesse et du savoir où nul autre, avant vous, n'avait encore jamais pénétré. Pour parvenir au rang de Grand Maître Suprême, il vous faudra acquérir la maîtrise des douze Grandes Disciplines énoncées ci-après. C'est un lourd défi à relever, car vous vous aventurez désormais dans l'inconnu, repoussant toujours plus loin les limites des capacités humaines, et travaillant sans relâche pour servir la cause du bien. Puissent le dieu Kaï et la déesse Ishir vous aider dans votre noble quête !

Durant les années qui ont suivi la cuisante défaite des Seigneurs des Ténèbres, un entraînement intensif vous a permis d'arriver au rang de Grand Maître Primat. Cela signifie qu'en plus des Disciplines Magnakaï élémentaires qui vous sont définitivement acquises, vous maîtrisez quatre des Grandes Disciplines décrites ci-dessous. A vous de les choisir judicieusement, car chacune d'elles peut vous être utile à un moment donné de votre mission. Dans certaines circonstances, une habile mise en pratique de l'une de ces techniques peut vous sauver la vie. Lorsque vous aurez choisi vos quatre Grandes Disciplines, inscrivez-les sur votre *Feuille d'Aventure.*

Grande Discipline de la Science des Armes
Cette Grande Discipline confère à un Grand Maître Kaï le don de se servir des armes avec un maximum d'efficacité. Chaque fois que vous combattez avec une arme dont vous avez acquis la parfaite maîtrise, vous aurez droit à 5 points d'HABILETÉ supplémentaires. Le rang de Grand Maître Primat, avec lequel vous débutez au sein de la Grande Hiérarchie Kaï, signifie que vous possédez la maîtrise de deux armes parmi celles qui sont énumérées ci-après.

Grande Discipline du Contrôle Animal
Grâce à cette technique, un Grand Maître Kaï peut exercer une influence considérable sur les animaux et sur la plupart des créatures qui lui sont hostiles. Elle lui permet également de communiquer avec les oiseaux et les poissons, ainsi que de les utiliser comme guides.

Grande Discipline de la Science Médicale
Le praticien de cette Grande Discipline peut guérir toutes sortes de blessures infligées ou reçues pendant une bataille. Par ailleurs, si le total d'ENDURANCE d'un Grand Maître possédant cette faculté tombe au-dessous de 8 lors d'un combat, il pourra puiser dans ses réserves afin de regagner 20 points d'ENDURANCE. Vous ne pourrez avoir recours à cette possibilité que tous les vingt jours.

Grande Discipline de l'Invisibilité
Un Grand Maître Kaï possédant cette faculté pourra effectuer un changement radical de son apparence

physique et maintenir cette transformation pendant plusieurs jours s'il le désire. Cette Grande Discipline confère également un don de camouflage parfait à son détenteur.

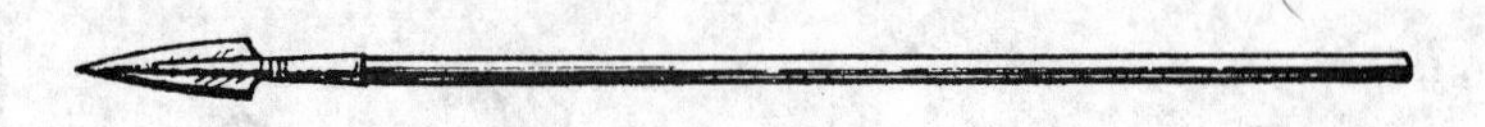

LA LANCE

LE POIGNARD

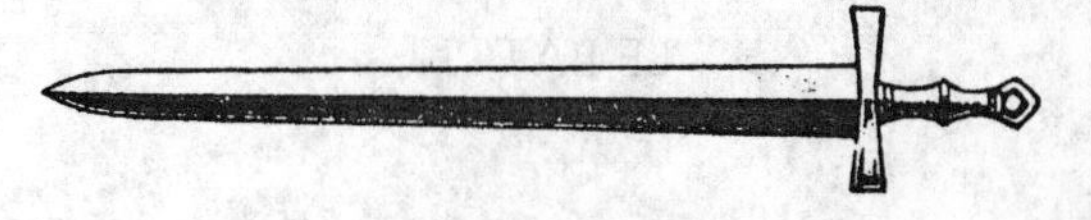

L'ÉPÉE

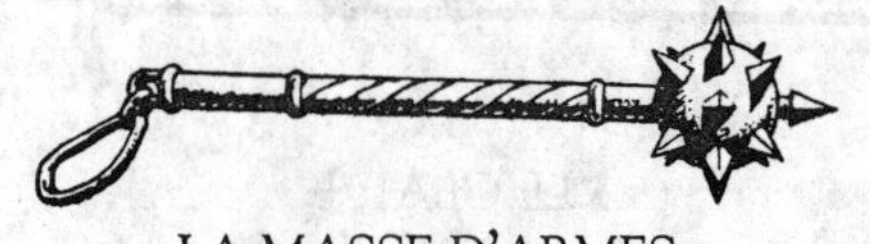

LA MASSE D'ARMES

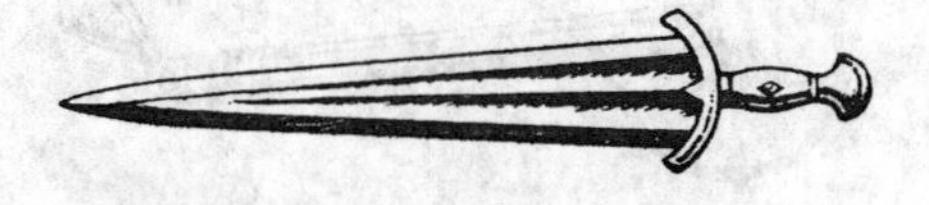

LE SABRE

LE MARTEAU DE GUERRE

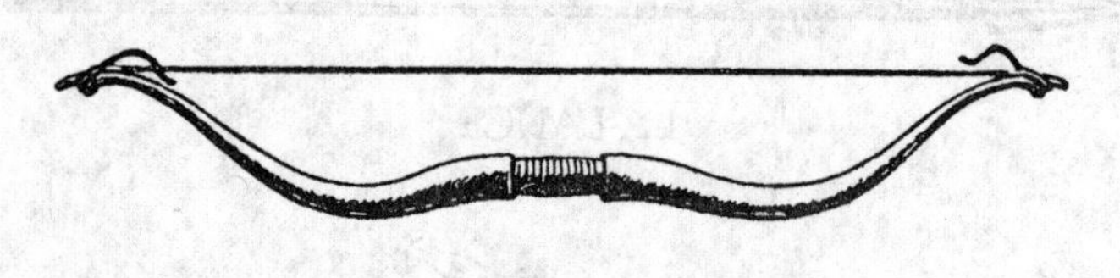

L'ARC

LE BÂTON

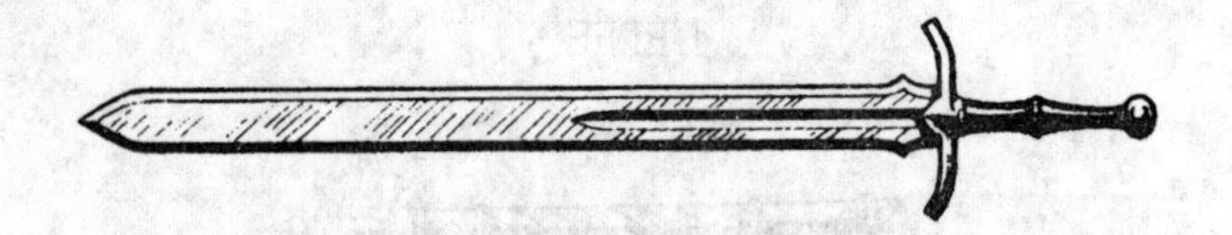

LE GLAIVE

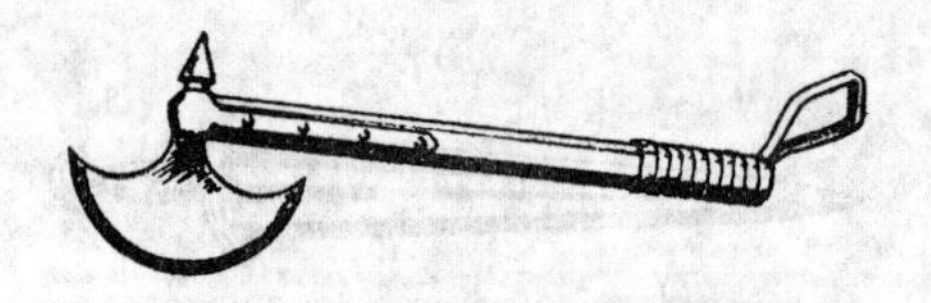

LA HACHE

Grande Discipline de l'Art de la Chasse

Grâce à cette Grande Discipline, un Grand Maître Kaï sera capable de voir parfaitement de nuit comme en plein jour. Ses sens du goût et du toucher seront également exacerbés.

Grande Discipline de l'Exploration

Cette technique permet à un Grand Maître Kaï d'échapper à l'emprise des plantes tentaculaires et nocives ; elle décuple aussi la vigilance en cas d'embûche.

Grande Discipline du Foudroiement Psychique

S'il décide d'utiliser ses pouvoirs psychiques pour attaquer un ennemi, le Grand Maître Kaï muni de cette Grande Discipline pourra ajouter 8 points à son total d'HABILETÉ. Chaque fois que vous utiliserez cette technique, vous ne déduirez que 1 seul point d'ENDURANCE par Assaut. Si vous optez pour la forme la plus atténuée des pouvoirs psychiques (c'est-à-dire la Puissance Psychique), vous pourrez gagner 4 points sans perdre aucun point d'ENDURANCE. Attention cependant : la Puissance Psychique, le Foudroiement Psychique et la Grande Discipline du Foudroiement Psychique ne peuvent être utilisés simultanément. D'autre part, un Grand Maître Kaï ne peut avoir recours à la Grande Discipline du Foudroiement Psychique si son total d'ENDURANCE est inférieur ou égal à 6.

Grande Discipline de l'Écran Psychique

Lors d'un combat psychique, un Grand Maître doté de

cette Grande Discipline peut dresser une barrière mentale, à son profit ou bien au profit de quelqu'un d'autre. La protection assurée par cette barrière croît à mesure que vous progressez dans la Grande Hiérarchie Magnakaï.

Grande Discipline du Nexus
Grâce à la maîtrise de cette Grande Discipline, les produits toxiques ou nocifs (tels que les acides, les gaz, le feu) n'auront aucun effet sur un Grand Maître Kaï, et cela pendant environ une heure. Cette résistance augmentera au fur et à mesure que vous progresserez dans la Grande Hiérarchie Magnakaï.

Grande Discipline de l'Intuition
Cette technique donne au Grand Maître Kaï la faculté d'abandonner son enveloppe charnelle pour « marcher en esprit » pendant nettement plus longtemps et sans encourir d'effets secondaires désagréables. Pendant ces expériences transcendantales, la protection du corps inanimé du Grand Maître Kaï augmentera avec son rang.

Grande Discipline de la Magie des Anciens
Grâce à l'enseignement du Seigneur Rimoah, vous connaissez désormais les rudiments du combat magique, tel que le pratiquaient les Vakeros, les premiers guerriers natifs du Dessi. Vos connaissances dans le domaine de la magie de l'Ancien Royaume augmenteront en même temps que vous progresserez dans la Grande Hiérarchie Magnakaï.

Grande Discipline de l'Alchimie Kaï
C'est sous la tutelle du Maître de la Guilde Banedon que vous avez appris les rudiments de la magie gestuelle pratiquée par la confrérie de l'Étoile de Cristal. Vos connaissances en ce domaine augmenteront avec votre rang et vous permettront de manier de nouvelles armes et de nouveaux artifices Kaï.

Si vous remplissez avec succès la mission qui vous est confiée dans ce livre numéro 15, vous pourrez choisir une Grande Discipline Magnakaï supplémentaire lorsque vous établirez la *Feuille d'Aventure* du livre numéro 16. Par ailleurs, pour chacune des Grandes Disciplines que vous parviendrez à maîtriser, en plus des quatre Grandes Disciplines avec lesquelles vous débutez, vous pourrez ajouter 1 point à votre total de départ d'HABILETÉ et 2 points à votre total de départ d'ENDURANCE. Ces points de bonus vous seront définitivement acquis pour les prochaines missions que vous devrez accomplir, ainsi que la Grande Discipline supplémentaire que vous aurez choisie, les quatre Grandes Disciplines d'origine et tous les Objets Spéciaux trouvés lors de vos aventures.

Équipement

Avant d'entreprendre votre long voyage vers la Lencia, vous vous munissez d'une carte des royaumes et territoires des Tentarias occidentales (elle se trouve au début de ce livre) et d'une bourse de Pièces d'Or. Pour savoir combien de Pièces cette bourse contient, utilisez la *Table de Hasard* pour obtenir un chiffre. Ajoutez 20 à ce chiffre : vous connaîtrez le nombre de Pièces d'Or dont vous disposez. Inscrivez ce nombre dans la case correspondante de votre *Feuille d'Aventure*. S'il vous reste des Pièces d'Or de vos précédentes missions (Loup Solitaire n° 1 à 14). vous pouvez les ajouter au nombre que vous venez d'obtenir. Il ne vous est pas possible d'emporter plus de 50 Pièces d'Or, mais les autres restent en sûreté au monastère. Vous pouvez également choisir dans la liste ci-dessous cinq objets que vous pourrez ajouter à ceux que vous pouvez d'ores et déjà posséder. Cependant, n'oubliez pas que vous ne pouvez en aucun cas emporter plus de deux armes, et dix objets à l'intérieur de votre Sac à Dos.

ÉPÉE (Armes).
ARC (Armes).
CARQUOIS (Objet Spécial) : il contient six flèches que vous devrez rayer de votre *Feuille d'Aventure* après utilisation.

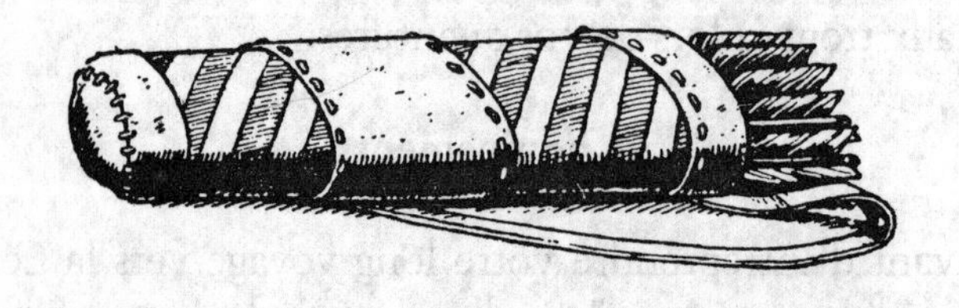

POTION DE LAUMSPUR (Objet contenu dans votre Sac à Dos) : cette potion vous permet de reprendre

4 points d'ENDURANCE si vous la buvez à l'issue d'un combat. Vous disposez d'une dose en tout.

LANCE (Armes).

4 RATIONS SPÉCIALES (Repas) : chacune de ces Rations Spéciales représente un Repas et occupe la place d'un objet dans votre Sac à Dos.

POIGNARD (Armes).

CORDE (Objet contenu dans votre Sac à Dos).

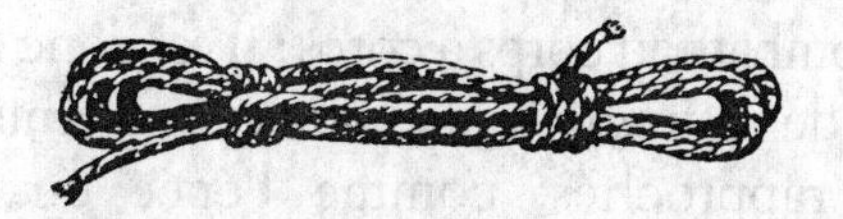

HACHE (Armes).

Inscrivez les objets choisis sur votre *Feuille d'Aventure* dans les cases indiquées entre parenthèses et notez l'effet éventuel que l'un ou l'autre peut avoir sur vos points d'ENDURANCE ou d'HABILETÉ.

Comment utiliser votre équipement

Armes

Les armes vous permettent de combattre vos ennemis. Si vous avez choisi la Grande Discipline de la Science des Armes et une arme en bon état, vous aurez le droit d'ajouter 3 points à votre total d'HABILETÉ.
Si vous découvrez une arme au cours de votre aventure, vous pouvez la garder et l'utiliser, mais rappelez-vous que vous n'avez pas le droit de posséder plus de deux armes à la fois.

Arc et flèches

Au cours de cette aventure, vous aurez plusieurs fois l'occasion de vous servir d'un arc. Si vous choisissez cette arme et que vous possédiez au moins une flèche, vous pourrez l'utiliser en cas de besoin. L'arc est une arme très utile car il permet de frapper les ennemis à distance. Vous ne pouvez cependant pas tirer à l'arc lors des combats au corps à corps : il est donc fortement conseillé de se munir également d'une arme pour les combats rapprochés, comme l'épée ou la masse d'armes. Pour vous servir d'un arc, vous avez besoin d'un carquois et, à chaque trait que vous décocherez, vous rayerez une flèche sur votre *Feuille d'Aventure*. Dès que votre réserve est épuisée, votre arc devient inutilisable jusqu'à ce que vous trouviez l'occasion de remplir votre carquois. Si vous maîtrisez la Grande Discipline de la Science des Armes, vous pouvez ajouter 3 au chiffre que vous tirez dans la *Table de Hasard* quand vous utilisez votre arc.

Objets contenus dans votre Sac à Dos

Au cours de votre quête, vous découvrirez divers objets qui pourraient se révéler utiles et que vous souhaiterez peut-être conserver (rappelez-vous que vous ne pouvez jamais transporter plus de dix objets dans votre Sac à Dos). Vous avez le droit à tout moment d'échanger l'un de ces objets ou tout simplement de vous en débarrasser, mais il vous est interdit de le faire lorsque vous êtes engagé dans un combat.

Objets Spéciaux

Ces Objets ne sont pas transportés dans votre Sac à Dos. Lorsque vous en découvrirez un, il vous sera indiqué comment le transporter. Le nombre maximal d'Objets Spéciaux qu'un Grand Maître Kaï peut transporter au cours d'une aventure est de douze.

Nourriture

Tout au long de votre quête, vous aurez besoin de vous nourrir à intervalles réguliers. S'il ne vous reste plus de vivres lorsque vous serez dans l'obligation de prendre un Repas, vous perdrez 3 points d'ENDURANCE. Mais si vous maîtrisez la Grande Discipline de l'Art de la Chasse, vous n'aurez pas à rayer un Repas de votre *Feuille d'Aventure* chaque fois que vous devrez manger.

Potion de Laumspur

C'est une potion de Guérison qui vous permet de reprendre 4 points d'ENDURANCE à l'issue d'un combat. Vous ne disposez que d'une seule dose. Si, au cours de votre quête, vous veniez à découvrir d'autres potions, leurs effets vous seraient indiqués en temps utile. Toutes les potions font partie des Objets contenus dans votre Sac à Dos.

Règles de combat

Au cours de votre quête, vous aurez parfois à combattre un ennemi. Le texte vous précisera en chaque circonstance quels sont les points d'HABILETÉ et d'ENDURANCE de l'ennemi en question. Le Loup Solitaire (c'est-à-dire vous-même) devra alors s'efforcer de tuer son adversaire en réduisant à zéro les points d'ENDURANCE de ce dernier, tout en essayant lui-même d'en perdre le moins possible au cours de l'affrontement.
Au début de chaque combat, inscrivez le total d'ENDURANCE du Loup Solitaire, et celui de l'ennemi sur votre *Feuille d'Aventure*. Ces indications sont à porter dans la case *Détails des Combats*.
Chaque affrontement se déroule de la manière suivante :

1. Ajoutez à votre total d'HABILETÉ les points supplémentaires que certaines Grandes Disciplines et certains Objets Spéciaux peuvent vous donner.
2. Soustrayez du total ainsi obtenu les points d'HABI-

LETÉ de votre adversaire. Le résultat de cette soustraction vous donnera votre *Quotient d'Attaque*. Inscrivez-le sur votre *Feuille d'Aventure*.

Exemple

Imaginons que le Loup Solitaire dispose d'un total d'HABILETÉ de 32 et qu'il soit attaqué par une meute de Loups Maudits dont les points d'HABILETÉ s'élèvent à 30 : le Loup Solitaire n'a aucune possibilité de fuite, il lui faut combattre les créatures qui fondent sur lui. Admettons alors que le Loup Solitaire ait choisi la Grande Discipline du Foudroiement Psychique contre lequel les Loups Maudits ne sont pas protégés : dans ce cas, le Loup Solitaire ajoutera 3 points à son total d'HABILETÉ qui atteindra donc 35. Il retranchera ensuite le total d'HABILETÉ des Loups Maudits de son propre total, ce qui lui donnera un *Quotient d'Attaque* de + 5 (35 - 30 = 5). Il faudra alors inscrire + 5 dans la case *Quotient d'Attaque* de la *Feuille d'Aventure*.

3. Lorsque vous connaissez votre *Quotient d'Attaque*, utilisez la *Table de Hasard* de la manière habituelle pour obtenir un chiffre.

4. Reportez-vous à la *Table des Coups Portés* qui figure à la fin de ce livre. En haut de cette *Table* sont indiqués les *Quotients d'Attaque*. Trouvez le *Quotient* que vous avez calculé, puis descendez la colonne au-dessous jusqu'à la case située à l'intersection de la ligne horizontale correspondant au chiffre obtenu à l'aide de la

Table de Hasard (ces chiffres sont indiqués sur le côté gauche de la *Table des Coups Portés*).
Vous connaissez ainsi le nombre de points d'ENDURANCE que l'ennemi et le Loup Solitaire auront chacun perdu lors de cet Assaut. (La lettre E vous donne les points d'ENDURANCE perdus par l'ennemi, les lettres LS, ceux perdus par le Loup Solitaire.)

Exemple

Le *Quotient d'Attaque* entre le Loup Solitaire et la meute de Loups Maudits était de + 5. Admettons que le chiffre donné par la *Table de Hasard* soit 2. Le résultat du premier Assaut sera alors le suivant : le Loup Solitaire perd 3 points d'ENDURANCE (plus 1 point supplémentaire pour avoir utilisé le foudroiement Psychique). La meute de Loups Maudits perd 7 points d'ENDURANCE.

5. Après chaque Assaut, notez sur la *Feuille d'Aventure* les modifications intervenues dans le total d'ENDURANCE de chaque adversaire.
6. A moins que des indications différentes ne vous soient données, ou que vous puissiez fuir, un nouvel Assaut devra être mené.
7. Reprenez les opérations à partir de l'étape numéro 3. Le combat se poursuit jusqu'à ce que le total d'ENDURANCE de l'ennemi ou du Loup Solitaire ait été réduit à zéro : celui qui a perdu tous ses points d'ENDURANCE est considéré comme mort. Si c'est le Loup Solitaire – c'est-à-dire vous – qui a succombé, l'aventure est terminée. Si c'est l'ennemi qui est tué, le Loup Solitaire

peut poursuivre sa mission mais avec un total d'ENDURANCE moins élevé.

Possibilités de fuite

Au cours de votre aventure, la possibilité d'échapper à un combat vous sera parfois accordée. Si vous avez déjà engagé un Assaut et que vous décidiez de prendre la fuite, menez d'abord cet assaut à son terme en observant les règles habituelles. Il ne sera tenu aucun compte des points d'ENDURANCE perdus par votre adversaire ; seuls ceux du Loup Solitaire seront comptabilisés. Vous pourrez ensuite vous enfuir après avoir payé le prix de votre couardise par la réduction de votre total d'ENDURANCE. Mais rappelez-vous que vous n'aurez le droit de prendre la fuite que si vous y êtes autorisé ; les précisions nécessaires vous seront fournies chaque fois.

La Sagesse Magnakaï

Il vous faudra surmonter d'innombrables embûches et affronter maints périls pour empêcher Magnaarn de s'emparer de la Pierre Maudite de Dhârk. Vous devrez être circonspect et vous tenir toujours sur vos gardes, car les guerriers de Nyras demeurent de formidables ennemis en dépit des récents revers qu'ils ont subis sur les champs de bataille des Tentarias occidentales. Vous pourrez trouver sur votre route des objets qui vous seront d'une grande aide dans l'accomplissement de cette mission comme dans les prochaines aventures du

Loup Solitaire, et d'autres qui se révéleront parfaitement inutiles. Choisissez donc avec discernement ceux que vous déciderez de garder. Vous devrez apporter le même soin au choix des quatre Grandes Disciplines Magnakaï que vous souhaitez maîtriser. Vous pourrez alors parvenir avec succès au terme de votre aventure, même si vos points d'HABILETÉ et d'ENDURANCE sont faibles. Bien que cela représente un avantage certain, il n'est cependant pas nécessaire d'avoir accompli les missions précédentes de la série du Loup Solitaire pour mener à bien cette quête.
Les vies des milliers de chevaliers Lenciens qui assiègent la cité de Dhârk et, en fin de compte, l'issue de la guerre qu'ils mènent contre les Drakkarims honnis dépendent du succès de votre mission. Puisse la lumière du dieu Kaï et de la déesse Ishir guider vos pas dans les ténèbres et les périls qui vous attendent. Gloire au Sommerlund et au Kaï !

Niveaux supérieurs Magnakaï

Le tableau ci-dessous vous indique les divers rangs et titres qui sont accordés au Grand Maître Kaï à chaque étape de son entraînement. Chaque fois que vous avez accompli avec succès une mission de la série Loup Solitaire Grand Maître Kaï, vous aurez la maîtrise d'une Grande Discipline supplémentaire et vous pourrez ainsi accéder progressivement à la plus haute distinction pour un Grand Maître Kaï : Suprême Grand Maître.

Nombre de Grandes Disciplines maîtrisées par le Grand Maître Kaï	Titre correspondant
1 √	Grand Maître Kaï
2 √	Grand Maître Kaï d'ordre intermédiaire
3 √	Grand Maître Kaï d'ordre supérieur
4 √	Maître Primat (c'est à ce rang que vous entreprenez votre première aventure comme Grand Maître Kaï)
5	Grand Maître Tutélaire
6	Grand Maître Principal
7	Grand Maître Mentor
8	Grand Maître Éminent
9	Grand Maître Transcendant

10	Grand Maître Lunaire
11	Grand Maître Solaire
12	Suprême Grand Maître

Grandes Disciplines améliorées

Pour le Grand Maître Tutélaire

Grande Discipline du Contrôle Animal
Un Grand Maître Tutélaire qui maîtrise cette Grande Discipline est capable d'appeler à lui plusieurs animaux de la forêt et de s'en faire des alliés dociles. Cette faculté ne peut s'exercer qu'à l'extérieur d'un bâtiment.

Grande Discipline de l'Invisibilité
Un Grand Maître Tutélaire qui maîtrise cette Grande Discipline est capable de soulever sur une quinzaine de mètres autour de lui un nuage de fumée qui fait obstacle à toute vision, même surnaturelle.

Grande Discipline de l'Art de la Chasse
Un Grand Maître Tutélaire qui maîtrise cette Grande Discipline peut se déplacer avec agilité et célérité, que ce soit à pied ou à cheval.

Grande Discipline du Foudroiement Psychique
Un Grand Maître Tutélaire qui maîtrise cette Grande Discipline a la faculté d'en user simultanément contre trois ennemis.

Grande Discipline de l'Écran Psychique
Un Grand Maître Tutélaire qui maîtrise cette Grande Discipline dispose d'un moyen de défense psychique appelé le mélange mental, qui lui permet de se dissimuler et de se défendre contre les attaques psychiques.

Grande Discipline de la Magie des Anciens
Un Grand Maître Tutélaire qui maîtrise cette Grande Discipline dispose des deux sortilèges supplémentaires suivants :
Désagrégation. Permet de réduire en miettes les objets fragiles tels que bouteilles, miroirs, vitres.
Flèche de feu. Permet d'enflammer la pointe d'une flèche ou de tout projectile similaire, d'un feu qui ne peut être éteint par des moyens naturels.

Pour le Grand Maître Principal

A mesure que vous vous élèverez dans la haute hiérarchie Magnakaï, vous verrez s'accroître les pouvoirs que vous confèrent vos Grandes Disciplines Kaï. Par exemple, si vous maîtrisez la Grande Discipline du Nexus lorsque vous accédez au rang de Grand Maître Transcendant, vous pourrez franchir librement les Portes d'Ombre et explorer les royaumes infernaux d'Aon et le Plan Crépusculaire du Daziarn. Si vous avez atteint le rang de Grand Maître Principal, voici les améliorations dont vous bénéficiez dans les Grandes Disciplines suivantes :

Grande Discipline de la Science des Armes
Un Grand Maître Principal qui dispose de cette

Grande Discipline est capable de manier d'une seule main des armes lourdes qui nécessitent normalement l'emploi des deux mains (Sabre, Bâton, Lance, etc.).

Grande Discipline de la Science Médicale
Un Grand Maître Principal qui maîtrise cette Grande Discipline est capable de guérir de sérieuses blessures subies par des créatures autres que lui-même. En apposant les mains sur le corps de la créature, le Grand Maître peut faire se refermer une plaie béante (ou réduire toute autre blessure grave). La vitesse du processus de guérison s'accroît à mesure que le rang du Grand Maître s'élève.

Grande Discipline de l'Exploration
Cette Grande Discipline permet au Grand Maître Principal qui la maîtrise de repousser à volonté tous les insectes de taille normale dans un rayon de trois mètres. La dimension et le nombre d'insectes que ce pouvoir peut affecter augmentent considérablement à mesure que le rang du Grand Maître s'élève.

Grande Discipline du Nexus
Le Grand Maître Principal qui possède la maîtrise de cette Grande Discipline a la possibilité de feindre la mort. En se plaçant lui-même en état de vie suspendue, il peut donner à son corps la totale apparence d'un cadavre. Toutefois, tant qu'il se trouve dans cet état, le Grand Maître ne dispose plus que du seul sens de l'ouïe.

Grande Discipline de l'Intuition
Le Grand Maître Principal qui maîtrise cette Grande

Discipline peut communiquer par télépathie sur de vastes distances. La portée initiale de ce pouvoir est d'environ 100 kilomètres, mais elle s'allonge à mesure que s'élève le rang du Grand Maître.

Grande Discipline de l'Alchimie Kaï
Le Grand Maître Principal qui maîtrise cette Grande Discipline dispose des deux sortilèges supplémentaires suivants :

Arrêt de Projectile. Ce sort contraint tout trait ou arme lancée (flèches, carreaux d'arbalète, haches, etc.) constituant une menace immédiate pour la vie du Grand Maître Principal à s'immobiliser en plein vol, le temps de lui permettre de se déplacer hors de la trajectoire. Initialement, ce sortilège ne peut affecter qu'un seul projectile, mais leur nombre grandit à mesure que s'élève le rang du Grand Maître.

Force. Le Grand Maître Principal qui fait appel à ce sortilège voit sa force physique s'accroître considérablement pour une brève durée. Il peut l'utiliser pour soulever ou déplacer des objets pesants, ou pour augmenter momentanément ses points d'HABILETÉ et d'ENDURANCE tandis qu'il livre un combat à mains nues.

Le monastère Kaï

Vous êtes le Grand Maître Kaï Loup Solitaire, dernier des Seigneurs Kaï du Sommerlund et unique survivant du massacre qui a anéanti le Premier Ordre de votre caste de guerriers d'élite.
Nous voici en l'an 5076 après la création de la Pierre de Lune. Vingt-six ans se sont écoulés depuis que vos frères d'armes ont péri par la traîtrise des Seigneurs des Ténèbres d'Helgedad. Dans l'intervalle, ces champions du Mal qui avaient été envoyés par Naar, Roi des Ténèbres, pour dévaster les fertiles contrées du Magnamund, ont eux-mêmes été anéantis. Vous aviez fait le serment de venger la mort de vos frères Kaï et vous avez tenu parole : n'hésitant pas à vous introduire, seul, au cœur de leur sombre royaume, vous avez provoqué la chute des Seigneurs des Ténèbres en abattant Gnaag, leur chef, et en détruisant le siège de leur pouvoir maléfique, la cité infernale d'Helgedad. Dans le sillage de la défaite des Seigneurs des Ténèbres, l'anarchie s'est emparée des factions de leur immense armée car, seule la perspective de conquérir tout le Magnamund septentrional avait pu jusqu'alors maintenir sa cohésion. Certaines unités – et notamment celles des barbares Drakkarims – commencèrent à se dresser les unes contre les autres dans l'espoir de s'approprier le pouvoir. La confusion dégénéra en guerre intestine féroce et totale

qui donna le temps aux pays libres de reconstituer leurs forces et de lancer une contre-offensive. La paix règne maintenant depuis six ans sur le Sommerlund. Le monastère Kaï, qui n'était plus qu'un amas de ruines, a été entièrement restauré selon vos directives. Il a retrouvé son ancienne splendeur et vous avez entrepris de constituer un Second Ordre de guerriers Kaï afin que se perpétuent l'art, le savoir et les nobles traditions de vos ancêtres. Cette tâche est en bonne voie. La nouvelle génération de recrues, qui a vu le jour pendant la guerre contre les Seigneurs des Ténèbres, possède déjà des pouvoirs Kaï à l'état latent et se révèle très prometteuse. Pendant leur séjour au monastère, leurs pouvoirs se développeront et s'affineront jusqu'à la perfection, afin qu'ils puissent à leur tour éduquer de futures générations capables d'assurer à votre patrie une sécurité sans faille dans les années et les siècles à venir. Votre victoire personnelle et votre ascension au rang de Grand Maître Kaï devaient, bien entendu, vous apporter d'immenses satisfactions. Mais, si la renaissance du Kaï et la gratitude éternelle de vos compatriotes étaient fort prévisibles, il en est d'autres que vous n'aviez pas même pu imaginer. Ainsi, vous avez découvert en vous-même un potentiel qui vous permet d'améliorer les disciplines Magnakaï que vous pensiez pourtant maîtriser dans leur plénitude. Cela vous permet de dépasser ce qui semblait être le niveau absolu de maîtrise auquel pouvait aspirer un Maître Kaï. A la suite de cette révélation, vous avez décidé de vous lancer dans la quête d'une sagesse et d'un pouvoir qu'aucun autre Seigneur Kaï n'a jamais possédés avant vous. Au nom de votre créateur, le dieu Kaï, et pour la plus grande gloire du Sommerlund et de la déesse Ishir, vous avez fait le serment d'atteindre l'ultime perfection du pouvoir Magnakaï en devenant le premier Suprême Grand Maître. Maintenant, vous avez mené à bien la restauration du monastère Kaï et la formation pratique et spirituelle du Second Ordre Kaï. Vos recrues n'ont pas eu besoin de plus de deux années pour franchir avec éclat les étapes conduisant au rang de Maître Kaï et assurer à leur tour la formation d'un nouveau contingent de novices. Ils ont pris en charge leurs nouvelles responsabilités, et vous pouvez consacrer l'essentiel de votre temps à la recherche et au développement des Grandes Disciplines Kaï.

Au cours de cette période, vous avez également accru vos connaissances dans les domaines de la magie et de la chimie grâce aux conseils avisés de vos deux fidèles amis : le Maître de Guilde Banedon, chef de la Confrérie de l'Étoile de Cristal, et le Seigneur Rimoah, chef du Conseil Suprême des Anciens Mages. Au plus profond des souterrains du monastère, à une quarantaine de mètres sous la base de la Tour du Soleil, vous avez fait creuser une vaste cave voûtée. Dans cette somptueuse salle aux murs de granit ouvrés d'or, vous avez déposé les sept Pierres de la Sagesse de Nyxator qui renferment l'essence même du pouvoir Kaï. Vous avez passé des heures à poursuivre votre quête de perfection dans cette magnifique crypte, baigné par les radiations bienfaisantes des Pierres de la Sagesse. Au cours de cette période, vous avez constaté que votre corps subissait de singulières modifications : vous êtes devenu physiquement et mentalement plus fort, l'acuité de vos cinq sens s'est accrue jusqu'à un niveau que vous n'aviez jamais connu et, ce qui est peut-être le plus remarquable, le vieillissement de votre corps a commencé à se ralentir. Désormais, lorsque cinq années s'écoulent, vous ne vieillissez que d'un an.

Pendant ce temps, de nombreux changements sont survenus hors des frontières du Sommerlund. Au nord-est de Magador et de la Gorge de Maaken, les Anciens Mages du Dessi et les Herboristes de Bautar ont uni leurs efforts pour rendre leur fertilité à des terres réduites à l'état de déserts de poussière volcanique. C'étaient là les premiers pas d'une entreprise de défrichement destinée à s'étendre à l'ensemble des terres des Royaumes des Ténèbres. Cependant, on dut vite admettre qu'il faudrait des siècles pour réparer les monstrueux dégâts des Seigneurs des Ténèbres. Dans l'ouest, les Drakkarims s'étaient repliés dans leurs terres d'origine et avaient entrepris une guerre sanglante contre les Lenciens. Une grande partie de la province du Nyras méridional fut reconquise par les armées de Sarnac, Roi de Lencia, et son étendard flotta de nouveau sur des terres qui appartenaient à son pays il y a deux mille ans. Après la destruction des Seigneurs des Ténèbres d'Helgedad, les Gloks, qui constituaient le plus gros des troupes de Gnaag, s'enfuirent à travers les Royaumes des Ténèbres et se réfugièrent dans les gigantesques forteresses de Nadgazad, Aaknar, Gournen et Kaag. Ces cités infernales furent bientôt secouées par de furieuses guerres civiles entre les survivants des Xagashs (Seigneurs des Ténèbres subalternes) et des Nadziranims (adeptes maléfiques de la Magie Noire, autrefois serviteurs des

Seigneurs des Ténèbres rivaux). Tout le monde s'accorde à penser que, le jour où les Anciens Mages et les Herboristes de Bautar parviendront enfin au pied des murailles de ces places fortes, ils ne rencontreront aucune résistance car leurs occupants seront depuis belle lurette parvenus à s'entre-tuer jusqu'au dernier. En attendant, la paix règne dans tous les autres États du Magnamund septentrional et les peuples des Royaumes Libres peuvent se réjouir de savoir que l'âge des Seigneurs des Ténèbres est enfin achevé. Les hommes ont troqué leur épée pour la houe et leur bouclier pour la charrue. Sous ce climat serein, rares sont ceux qui gardent un œil vigilant sur l'horizon dans la crainte de voir surgir une nouvelle menace. Certains, pourtant, demeurent en alerte, car tout péril n'est pas écarté : les séides de Naar peuvent s'infiltrer dans le monde libre de bien des façons, sous de multiples déguisements, et nombre d'entre eux attendent dans l'ombre le moment de mettre leurs projets à exécution.

Les Druides et les Nadziranims

Il y a tout juste un an, la redoutable secte des Druides de Cener a tenté d'assouvir la vengeance de Naar. Dans le secret des laboratoires de leur noire forteresse de Morgaruith, les Druides diaboliques avaient mis au point et cultivé le virus d'une peste capable de tuer tous les êtres du Magnamund sauf, bien entendu, ceux de leur propre espèce. La nouvelle de leur horrible projet parvint aux oreilles du Seigneur Rimoah qui pressa les princes des Pays Libres de lever leurs armées et d'envahir le territoire des Druides, le Ruel, mais l'invasion tourna au désastre. Des sept mille hommes qui pénétrèrent dans le Ruel pour raser la forteresse de Morgaruith, seuls soixante-dix revinrent. Vous n'avez pas hésité à vous introduire seul au cœur de leur ténébreux royaume : le Morgaruith. Cette fois encore, vous avez remporté la victoire seul face à un ennemi sans nombre, dans sa propre citadelle. Après être revenu du sombre Ruel en triomphateur, votre mission accomplie, vous avez regagné le Sommerlund et le monastère Kaï pour y poursuivre votre œuvre de Grand Maître. Trois mois plus tard, le jour où tombèrent les premières neiges de l'hiver, vous avez reçu la visite du Seigneur Rimoah. Une fois de plus, il était, malgré lui, porteur de mauvaises nouvelles. Alors qu'il aidait aux travaux de défrichage dans les environs de la Gorge de Maaken, votre ami Banedon avait été enlevé par une bande de Gloks menés par des sorciers Nadziranims. On avait essayé de le secourir, mais les Nadziranims avaient massacré tous ceux qui avaient tenté de les poursuivre dans les Terres Sombres. Il était à craindre que les Nadziranims ne cherchent à lui arracher les secrets de la Magie Blanche pour les combiner avec ceux de leur ignoble sorcellerie. Ce projet odieux leur donnerait un pouvoir extraordinaire, capable de faire renaître la puissance passée des Royaumes des Ténèbres. Banedon n'avait plus qu'un seul espoir de survie : il fallait le faire sortir aussi vite que possible de Kaag. Conscient de tout ce qui était en jeu, vous avez courageusement décidé de pénétrer seul dans la forteresse afin de délivrer votre ami. Banedon avait durement souffert et, sans votre intervention opportune, il aurait trouvé la mort dans cette sinistre forteresse. L'annonce du sauvetage de Banedon et son retour au Sommerlund furent cause de grandes réjouissances, tout particulièrement dans les rues et les palais de Toran, sa cité natale.

La Pierre Maudite

L'année s'est achevée sur ces joyeux événements et une autre a débuté, mais, avant même que les neiges aient commencé à fondre, vous avez de nouveau été appelé à la rescousse dans la lutte implacable que livrent les peuples libres contre les forces du mal. Cette fois, l'appel au secours vous est parvenu par un ambassadeur étranger, un envoyé spécial qui a dû franchir des milliers de lieues pour vous rejoindre depuis la cour du Roi Sarnac de Lencia. La campagne que les armées de ce royaume avait lancée contre les Drakkarims commandés par Magnaarn, Grand Seigneur de la Guerre de Dhârk, s'était enlisée dès les premiers assauts de l'hiver et, depuis peu, les choses tournaient mal pour les Lenciens. Ils avaient en effet appris que Magnaarn recherchait la Pierre Maudite de Dhârk, objet d'une puissance maléfique légendaire. Il était dit que cette gemme était la plus puissante de toutes les Pierres Maudites créées par Agarash le Damné au cours de l'Age de la Nuit Éternelle. Avant la chute des Seigneurs des Ténèbres, cette Pierre Maudite était enchâssée dans la tête du Sceptre de Nyras, arme magique portée par le Seigneur des Ténèbres Dakushna, maître de Kagorst. Dans le chaos qui avait suivi la destruction de Dakushna, le Sceptre de Nyras avait été perdu, mais beaucoup pensaient secrètement qu'il avait été dérobé par l'un des sorciers Nadziranims du Seigneur de Kagorst. Quelques mois plus tard, le Sceptre avait réapparu au cours de la guerre qui embrasa le Nyras, mais la Pierre Maudite en était absente.

– Nous craignons que Magnaarn ne soit sur le point de trouver la Pierre Maudite de Dhârk, vous déclara l'envoyé Lencien. Déjà, il possède le manche du Sceptre. Mon suzerain, le Roi Sarnac, vous conjure de venir à notre secours, Grand Maître Loup Solitaire. Aidez-nous à retrouver la Pierre Maudite afin de contrecarrer le plan de Magnaarn car, s'il parvient à réunir la Pierre et le Sceptre, il disposera d'un pouvoir assez puissant pour nous anéantir.

– Avec tout le respect qui vous est dû, monseigneur, il me semble inconcevable que cette seule arme soit de taille à rivaliser avec toute la force cuirassée de Lencia ! lui avez-vous répondu avec diplomatie.

– Peut-être en serait-il ainsi, Grand Maître, répliqua-t-il, si la nature de la menace résidait dans l'arme seule. Hélas, si l'ennemi venait à la posséder, il y aurait d'autres conséquences ! Jusqu'à présent, les sorciers Nadziranims qui contrôlent les places fortes de Kagorst et d'Akagazad ont refusé de s'allier à Magnaarn dans la guerre qui nous oppose. Il leur a demandé de l'aide à plusieurs reprises car il y a derrière les murs de ces forteresses des milliers de Gloks et d'autres créatures qui s'y sont réfugiés après la défaite des Seigneurs des Ténèbres. Ils ont gardé leurs armes et constitueraient une force gigantesque si, par malheur, ils devaient se rassembler contre nous. Mais si Magnaarn possédait la Pierre Maudite de Dhârk, il ne fait guère de doute que les Nadziranims réviseraient leur jugement. Son pouvoir est tel qu'il pourrait les contraindre à obéir au moindre de ses ordres, car leur refus serait synonyme d'une destruction immédiate. Vous avez congédié avec politesse le messager Lencien pour réfléchir posément à sa requête. Dans la solitude de votre chambre, vous avez médité la question, mettant en balance la situation de Lencia et vos responsabilités au monastère Kaï. Finalement, après avoir soigneusement pesé le pour et le contre, vous avez pris votre décision.

– Or donc, monseigneur, s'enquit l'envoyé dans un timide filet de voix en pénétrant à nouveau dans votre chambre. Nous aiderez-vous à contrecarrer les noirs desseins de Magnaarn ?

– Jadis, il n'y a pas si longtemps, votre Roi et son armée m'ont apporté leur aide au cours de ma quête du Magnakaï, avez-vous répondu. Peut-être le temps est-il venu pour moi de leur prouver ma gratitude. Oui, je vais vous aider. Je vais revenir avec vous à Lencia pour défendre votre cause. Je vous fais le serment de faire tout ce qui est en mon pouvoir pour empêcher Magnaarn d'arriver à ses fins.

1

Vous entamez donc les préparatifs de votre long voyage vers Lencia. Il faut régler une foule de choses avant votre départ, aussi invitez-vous le Seigneur Floras, le messager Lencien, à jouir de l'hospitalité du monastère pendant que vous ferez face à vos plus pressantes obligations. Mais, à votre surprise, il décline l'invitation et insiste pour que vous partiez sur-le-champ, se montrant impatient de regagner sa lointaine patrie. Il vous rappelle respectueusement que chaque jour qui passe joue en votre défaveur. En voyageant par bateau et à cheval, il lui a fallu plus d'un mois pour parvenir au monastère et, sachant Magnaarn si près de découvrir la Pierre Maudite de Dhârk, il craint que tout retard supplémentaire ne se révèle désastreux. Vous songez aux distances et vous vous hâtez d'envoyer un messager à Toran pour transmettre votre demande d'aide au Seigneur Rimoah, votre ami et conseiller fidèle, qui veille en ce moment sur le Maître de Guilde Banedon durant sa convalescence. Le lendemain matin, le Seigneur Rimoah arrive en personne au monastère à bord du vaisseau qui va résoudre votre problème : la *Nef du Ciel*, le navire volant de Banedon. Après avoir accueilli avec chaleur votre vieil ami, vous le présentez avec toutes les politesses d'usage au Seigneur Floras. Tous deux en viennent finalement à évoquer la guerre dans l'ouest, et Rimoah conclut la discussion en approuvant sans réserve votre décision d'apporter votre aide au Roi Sarnac. Puis il ajoute quelques paroles de mise en garde : « Ne t'y trompe pas, Loup Solitaire, dit-il, cette nouvelle mission que tu as choisi d'accomplir sera aussi périlleuse que toutes celles que tu as entreprises par le passé. Magnaarn est un adversaire rusé et la pierre qu'il cherche est chargée d'un maléfice mortel. Ne sous-estime surtout pas ton ennemi. S'il devait parvenir à ses fins, toutes les terres des Tentarias occidentales ne connaîtraient plus jamais la paix. Rendez-vous au **140**.

2

En fouillant les ruines fumantes, vous constatez que presque rien n'a survécu au feu qui a dû transformer cette ville en fournaise infernale. Les ossements et les crânes carbonisés de ceux qui sont morts dans la bataille sont éparpillés un peu partout, et personne ne semble s'être soucié de les ensevelir. Alors que vous examinez les restes d'une épée Drakkarim, vous entendez soudain Schera vous appeler d'une voix pressante. Vous jetez l'épée pour regagner en courant la rue principale et voir ce qui se passe. Rendez-vous au **184**.

3

Vous frappez la glace de toutes vos forces et une large brèche s'ouvre dans un craquement sonore. Un instant, vous craignez qu'il ne soit déjà trop tard pour sauver votre guide, puis sa tête émerge de l'eau glacée et vous l'empoignez par le col avant qu'il ne disparaisse à nouveau. Vous le hissez hors de l'eau et vous l'allongez sur la surface gelée du lac. Sa peau a pris une teinte d'un violet profond et tout son corps est agité de tremblements incontrôlables. Son état est sérieux mais, au moins, il est toujours en vie. Utilisant vos pouvoirs de guérison, vous lui insufflez une partie de votre chaleur en apposant les mains sur sa poitrine et son visage et, en quelques minutes, il sort de son état de choc et recouvre sa température normale. Votre action rapide lui a sauvé la vie, mais elle vous a également coûté 3 points d'ENDURANCE. Modifiez votre total d'ENDURANCE en conséquence et rendez-vous au **157**.

4

Alors que le dernier Drakkarim tombe mort sur le sol boueux de la tranchée, Prarg vous rejoint, rengainant son épée rouge de sang. « Venez, messire, dit-il, nous avons encore l'avantage de la surprise. Nous ferions mieux d'en profiter avant que les Drakkarims ne découvrent ce qui s'est passé ici. » Vous acquiescez et vous vous glissez à sa suite hors de la tranchée pour vous élancer le long de la bande de terrain nu qui vous sépare des premières maisons de la ville. Tout en courant, Prarg désigne du doigt une ruelle qui s'enfonce entre deux cabanes carbonisées et vous vous engouffrez derrière lui dans ce passage obscur. Rendez-vous au **178**.

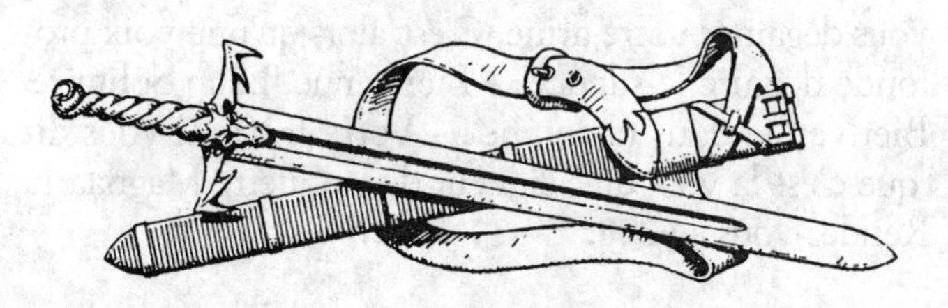

5

Avec un sourd déclic, la grande porte de fer s'ouvre lentement sur une chambre obscure faite de roche noire

polie. Vous découvrez à la lueur des torches un trône de marbre grossièrement taillé sur lequel repose la dépouille squelettique d'un guerrier vêtu de fourrures rongées par les ans. La blancheur de ses os transparaît faiblement sous un entrelacs de muscles et de tendons desséchés et racornis, et un heaume d'or massif repose sur son crâne. Une émeraude aussi grosse que le poing est sertie dans le frontal de ce casque. Attiré par cette pierre somptueuse, Prarg s'approche du trône, mais il s'immobilise à l'instant où vous le prévenez que le heaume est protégé par un piège magique. Vous pouvez sentir le sortilège de garde qui entoure le trône : le simple fait de toucher la coiffe suffirait à le déclencher, libérant une terrible décharge d'énergie destructrice. La perspective de se voir réduit en cendres ayant calmé la curiosité de Prarg, il revient près de vous d'un air penaud. Vous prenez soin de passer le plus loin possible du trône piégé et vous quittez la salle par un tunnel aux parois lisses qui s'ouvre dans le mur opposé. Mais au bout de quelques pas un frisson prémonitoire court soudain le long de votre échine. Vous figeant sur place, vous dégainez votre arme. C'est alors qu'une voix profonde déchire le silence : « Bienvenue, Loup Solitaire. Bienvenue dans ta tombe ! » Votre instinct vous dit que c'est la voix du Seigneur de la Guerre Magnaarn.
Rendez-vous au **280**.

6

Vous revenez en arrière pour voir qu'un autre Chasseur Souterrain, probablement le compère de celui que vous avez rencontré un peu plus tôt, est presque arrivé

5 *Vous découvrez un trône de marbre sur lequel repose la dépouille squelettique d'un guerrier.*

au sommet de l'escalier. Encore plein du souvenir du précédent combat, vous décidez de prendre l'initiative et d'attaquer le monstre avant qu'il n'ait pu atteindre le sommet des marches.

CHASSEUR
DES TÉNÈBRES HABILETÉ : 38 ENDURANCE : 40

Grâce à la rapidité de votre attaque et à l'avantage que vous procure votre position plus élevée, vous bénéficiez de 3 points d'HABILETÉ supplémentaires pour la durée de ce combat. Si vous êtes vainqueur, rendez-vous **91**.

7

Brandissant votre arme, vous vous préparez à l'abattre sur les deux Ciqualis qui achèvent de se hisser par-dessus le plat-bord. Ils vous fixent un instant de leurs horribles yeux globuleux, gonflant leur gorge membraneuse par saccades de plus en plus rapides. Et soudain, poussant un cri perçant, ils vous sautent à la gorge d'un même mouvement.

CIQUALIS HABILETÉ : 32 ENDURANCE : 28

Si vous remportez ce combat, rendez-vous au **148**.

8

L'éclaireur porte deux doigts à ses lèvres et pousse un long sifflement modulé. Aussitôt, les mercenaires se retournent et se mettent à scruter le sous-bois dans votre direction, puis l'un d'eux émet deux sifflements en réponse. Votre éclaireur demande alors qu'on vous laisse entrer dans le campement. Son appel est suivi d'un long silence, puis une voix teintée d'un lourd accent lance : « Montrez-vous ! » Lorsqu'ils vous voient tous quatre vous relever et avancer vers eux avec lenteur, les hommes de la Ligue d'Ilion sont visiblement soulagés de constater que vous n'avez rien d'un Drakkarim. Ils s'excusent de vous avoir pris pour cibles et l'un d'eux offre de vous conduire à leur chef, le Baron Maquin. Vous acceptez son invitation. Rendez-vous au **294**.

9

Concentrant une boule d'énergie psychique, vous la projetez sur la créature... avec un résultat pour le moins inattendu : cette bête a des capacités psychiques si phénoménales qu'elles lui permettent d'absorber sans sourciller un assaut mental assez dévastateur pour briser des êtres deux fois plus gros qu'elle ! Rendez-vous au **297**.

10

En fouillant les nombreux coffres et caisses qui encombrent la cabane, vous découvrez quelques objets susceptibles de vous être utiles dans la suite de votre mission :

Un anneau à cachet
Un arc
Trois flèches
Une épée

Un flacon de Potion de Laumspur (2 doses, chacune permet de reprendre 4 points d'ENDURANCE à l'issue d'un combat).
Un sablier
Une clef de laiton
Un poignard
Si vous décidez d'emporter un ou plusieurs de ces objets, n'oubliez pas de modifier en conséquence votre *Feuille d'Aventure*. Rendez-vous ensuite au **277**.

11

Derrière la porte, vous découvrez une étroite volée de marches de pierre. Vous escaladez cet escalier, stimulé par le souffle d'air qui devient de plus en plus glacial à mesure que vous vous élevez. Vous avez le temps de compter cinquante marches avant d'émerger dans une salle pleine de décombres. La seule autre issue est obstruée par un amas de gravats et de dalles de marbre. Ce n'est cependant pas sur cette porte que votre attention se concentre, mais sur un étroit conduit circulaire qui s'ouvre au milieu de la voûte, car c'est de là que provient le courant d'air froid. Plein d'espoir, vous vous approchez de l'ouverture de ce puits pour l'examiner. Il est obscur, mais vous pouvez distinguer une faible lueur grisâtre loin au-dessus de vous et entendre le sifflement du vent. Mais vous percevez aussi un autre bruit, tout à fait imprévu, celui-là. Un bourdonnement sourd, un bourdonnement d'insectes. Concentrant vos sens sur la partie obscure du puits, vous découvrez que le bruit provient d'une multitude de nids d'insectes ailés fixés le long de la paroi. Si vous maîtrisez la Grande Discipline de l'Exploration et si vous avez atteint le rang de Grand Maître Principal, rendez-vous au **240**. Si vous ne maîtrisez pas cette Discipline, ou si vous n'avez pas encore atteint ce rang, rendez-vous au **281**.

12

Rengainant votre arme, vous vous écartez des cadavres des deux Tukodaks et vous vous retournez vers Prarg. Il vous remercie de l'avoir sauvé de la lance ennemie avant de vous aider à dissimuler les corps des gardes dans les fourrés qui ont poussé sur les ruines environnantes. Avant de les y abandonner, vous leur retournez les poches et vous fouillez leurs havresacs, découvrant les objets suivants :
De la nourriture pour 1 Repas
Un poignard
Deux épées
Un arc
Quatre flèches
Si vous décidez d'emporter un ou plusieurs de ces objets, n'oubliez pas de modifier en conséquence votre *Feuille d'Aventure*. Pour pénétrer dans la tour qui n'est plus gardée, rendez-vous au **221**.

13

Alors que les traits acérés fusent vers le Capitaine et vers vous dans un gémissement strident, vous poussez brutalement Prarg dans le dos pour le jeter à plat ventre. Votre réflexe foudroyant lui permet d'échapper à la morsure du premier carreau, mais il ne vous laisse pas le temps d'esquiver complètement le second. Sa

pointe trace sur votre avant-bras un profond sillon sanglant qui vous arrache un juron de douleur et vous fait perdre 4 points d'ENDURANCE. Les sentinelles réarment leurs arbalètes dans l'espoir de vous expédier une nouvelle salve mais vous avez déjà disparu à l'autre bout de la plage. Bientôt, vous atteignez une petite crique abritée où vous découvrez une ancre rouillée. Il s'agit d'un repère placé là à dessein par les agents du Roi Sarnac afin d'indiquer la direction de la grotte dans laquelle ils ont caché votre embarcation et vos provisions. Après avoir trouvé la grotte sans difficulté, vous halez le bateau sur la plage, vous hissez sa voile noire et vous le poussez dans les eaux glacées des Tentarias. Une fois à bord, vous vous chargez de l'écoute tandis que Prarg prend le gouvernail. Vous êtes poussés par un bon vent et, au bout de quelques minutes, votre frêle esquif danse dans la houle du large, voguant vers l'embouchure du chenal le plus occidental des Marais de l'Enfer, à quelque vingt milles de distance. Vous demandez à Prarg si ce sombre estuaire a un nom, et il vous répond : « Certes. Les Drakkarims l'appellent la Bouche de Dakushna en l'honneur du Seigneur des Ténèbres qui commandait la forteresse de Kagorst. On dit que ce nom lui va bien car ce passage est aussi traître et mortel que celui qui lui a légué son nom. »
Rendez-vous au **60**.

14

Pendant que vous marchez à travers la forêt, Prarg expose succinctement l'histoire de cette région. Vous apprenez ainsi que la totalité du Nyras formait jadis la

Lencia septentrionale, avant d'être envahie par les hordes Drakkarims lors des guerres de l'Aube des Ténèbres. Au fil des siècles, les Lenciens avaient entrepris maintes campagnes afin de recouvrer leur province perdue, mais toutes avaient échoué. Sur les ruines de la capitale Lencienne de Gamir, les Drakkarims avaient édifié une forteresse qu'ils avaient baptisée Nagamir après leur victoire. Mais lorsque, plus tard, les Drakkarims s'étaient alliés aux Seigneurs des Ténèbres d'Helgedad, en leur honneur, ils l'avaient rebaptisée Dhârk, ce qui signifie Ténébreuse dans leur langue barbare. A l'approche du crépuscule, vous tombez par hasard sur une piste forestière qui, si vous en croyez vos exceptionnelles facultés, a été tracée tout récemment. Les empreintes de sabots et de pas que vous pouvez observer dans la neige qui la recouvre indiquent qu'elle a été empruntée par une bonne dizaine de cavaliers et de fantassins en armures depuis la semaine précédente. Si vous maîtrisez la Grande Discipline de l'Alchimie Kaï, rendez-vous au **308**. Sinon, rendez-vous au **45**.

15

Prarg se rue sur le Drakkarim moribond et lui tranche proprement la gorge avant qu'il ait pu souffler dans son cor. « Vite, messire, vous presse-t-il en rengainant son épée ensanglantée. Partons d'ici. Il n'était peut-être pas seul. » Bondissant par-dessus le cadavre, vous vous élancez dans le corridor à la suite de votre compagnon. Vous arrivez à une nouvelle intersection qui vous donne le choix entre deux directions : la gauche et la droite. Déployant vos pouvoirs Kaï, vous détectez une puissante présence maléfique émanant de la droite. Il vous suffit de vous concentrer un instant sur la source de ces ondes néfastes pour avoir la certitude qu'il s'agit de la Pierre Maudite. Vous prévenez Prarg et, plus que jamais sur vos gardes, vous longez ensemble le couloir jusqu'au moment où vous arrivez devant une porte close. Si vous maîtrisez la Grande Discipline de l'Art de la Chasse ou la Grande Discipline de l'Exploration, rendez-vous au **214**. Si ce n'est pas le cas, rendez-vous au **229**.

16

Vous attendez que deux cavaliers Drakkarims soient passés devant la cabane puis, dès qu'ils sont hors de vue, vous bondissez hors du fossé et vous vous faufilez à travers une étroite brèche dans la palissade de rondins. Lorsque vous atteignez la cabane, vous vous plaquez contre le mur et vous glissez un coup d'œil circonspect à travers sa fenêtre crasseuse. L'endroit n'est pas vide. Vous pouvez y voir un sergent Drakkarim qui se hisse sur la pointe des pieds pour atteindre une bouteille de vin rangée sur une tablette haut perchée. Il s'en empare, la débouche et s'offre une généreuse lampée de son contenu rouge sombre. Vous parvenez à distinguer l'extrémité de la table derrière lui, mais son corps vous cache la carte. Si vous désirez entrer dans la cabane et attaquer le soldat pendant qu'il est occupé à boire, rendez-vous au **266**. Si vous préférez rester où vous êtes et continuer à observer, rendez-vous au **124**.

17

Les yeux fixés sur la flèche qui fond sur vous, vous prononcez la formule du sortilège Arrêt de Projectile. Le trait s'immobilise en plein vol puis il reprend sa course pour aller se planter sans causer de dommages dans la poupe de votre embarcation. Vous entendez les exclamations stupéfaites des Drakkarims, parmi lesquelles revient plus d'une fois le mot « *Ziran* », qui signifie magicien en dialecte Glok, murmuré avec effroi. Tandis que le courant vous entraîne vers l'aval, vous voyez les renégats escalader la berge boueuse pour prendre la fuite, convaincus qu'ils ont affaire à un puissant sorcier... Votre voyage se poursuit sans autre incident jusqu'au moment où, vers la fin de l'après-midi, les contours d'une ville se découpent à l'horizon. Consultant votre carte, vous constatez qu'il s'agit de Konozod, place fortifiée Drakkarim. Tandis que le courant vous en rapproche, vous intensifiez votre acuité visuelle et vous découvrez qu'elle est bâtie sur la rive gauche du Shug. Face à la ville, le fleuve est enjambé par un grand pont de pierre dont les arches sont reliées par un barrage de pieux et de chaînes qui obstrue toute la largeur des eaux. Si vous voulez laisser votre barque dériver vers ce barrage, rendez-vous au **314**. Si vous préférez l'éviter, vous pouvez aborder et poursuivre votre route à pied en vous rendant au **231**.

18

Avec une détermination farouche, vous commencez à déblayer les monceaux de décombres qui obstruent l'escalier. La tâche se révèle pénible et vous redoutez qu'il ne vous faille plusieurs jours de labeur incessant avant de pouvoir atteindre le niveau supérieur. Aussi êtes-vous agréablement surpris quand, après quelques minutes de travail, une ouverture apparaît au sommet du monticule. Une bouffée d'air se glisse à travers cette brèche, ravivant vos espoirs de regagner la surface. Réveillé par cet air pur et glacé, vous vous attaquez aux débris avec une ardeur renouvelée. Mais un bruit sinistre vient brutalement tempérer votre euphorie : derrière vous, un Chasseur Souterrain monte l'escalier vers le palier. Si vous maîtrisez la Grande Discipline de l'Alchimie Kaï et si vous avez atteint au moins le rang de Grand Maître Principal, rendez-vous au **256**. Si vous ne maîtrisez pas cette Grande Discipline ou si vous n'avez pas le rang requis, rendez-vous au **6**.

19

Faisant appel à vos pouvoirs Kaï, vous élevez un nuage de brouillard qui vous dissimule aux yeux des deux sentinelles. « Vite, Capitaine ! murmurez-vous en soulevant Prarg par le bras. Filons avant que le vent ne disperse notre écran. » Laissant les soldats trébucher dans le brouillard en poussant force jurons, vous déguerpissez le long de la plage. Vous avez tôt fait de les distancer et, au bout de quelques minutes, vous atteignez une petite crique abritée où le Capitaine Prarg découvre avec un petit cri de joie une vieille ancre rouillée. Vous avez du mal à saisir ce qu'il peut trouver de si réjouissant dans un tel objet, mais il vous explique qu'il s'agit d'un repère placé là par les agents du Roi Sarnac afin d'indiquer la direction de la grotte où ils ont laissé votre embarcation et vos provisions. Après avoir trouvé la grotte sans difficulté, vous tirez le bateau sur la plage, vous hissez sa voile noire et vous le poussez dans les eaux glacées des Tentarias. Une fois à bord, vous vous chargez de l'écoute tandis que Prarg prend le gouvernail. Vous êtes poussés par un bon vent et, au bout de quelques minutes, votre frêle esquif danse dans la houle du large, voguant vers l'embouchure du canal le plus occidental des Marais de l'Enfer, à une vingtaine de milles. Vous demandez à Prarg si ce sombre estuaire a un nom, et il vous répond : « Certes. Les Drakkarims l'appellent la Bouche de Dakushna en l'honneur du Seigneur des Ténèbres qui commandait la forteresse de Kagorst. On dit que ce nom lui va bien car ce passage est aussi traître et mortel que celui dont il porte le nom. » Rendez-vous au **60**.

20

L'imposante créature albinos qui s'avance vers vous pas à pas a la taille d'un ours. Ouvrant toute grande sa gueule ornée de deux énormes défenses, elle pousse un rugissement affamé et continue à se rapprocher de vous et de votre compagnon, avide de se repaître de deux proies faciles. La bête fait un nouveau pas en agitant avec excitation sa queue tronquée. Elle fixe ses yeux rouges sur Prarg qui, pris de panique, crie d'une voix étranglée : « Courons ! » Percevant sa peur, le monstre se rue en avant au même instant. Si vous avez un arc et si vous désirez en faire usage, rendez-vous au **76**. Sinon, rendez-vous au **217**.

20 *L'imposante créature albinos qui s'avance vers vous pas à pas a la taille d'un ours.*

21

Retenant votre souffle, vous regardez les cavaliers approcher. Vous reconnaissez leurs couleurs et leurs armures : ils appartiennent au corps des Zagganozods, unité de cuirassiers Drakkarim à laquelle vous avez déjà été confronté il y a plusieurs années, au cours d'une quête qui vous avait conduit dans les terres d'Eru. Arrivés à la hauteur de la route, les cavaliers ennemis font halte. Ils échangent quelques mots, tournent leurs montures vers Dhârk et s'élancent au galop vers la bataille qui fait rage au pied des murs de la cité. Dès qu'ils sont assez loin, les hommes de Schera et de Maquin laissent échapper un soupir de soulagement. Rendez-vous au **234**.

22

L'ennemi a dressé une barricade en travers de la sortie nord de Shugkona. Alertés par le tumulte et les bruits de combat qui viennent de la place, les gardes Drakkarims qui y sont postés sont en train de pousser un chariot cuirassé en travers de l'unique brèche ménagée au milieu pour achever de bloquer le passage. Cinglant de la main la croupe de votre monture, vous la lancez au grand galop vers l'étroite issue qui se rétrécit à chaque seconde, mais trois gardes armés de lances vous aperçoivent et s'empressent de vous barrer le passage, prêts à vous embrocher. Si vous maîtrisez la Grande Discipline de l'Alchimie Kaï et si vous désirez l'utiliser, rendez-vous au **332**. Si vous maîtrisez la Grande Discipline du Foudroiement Psychique et si vous avez atteint au moins le rang de Grand Maître Tutélaire, rendez-vous au **312**. Si vous ne maîtrisez aucune de ces Grandes Disciplines ou si vous n'avez pas atteint le rang requis, rendez-vous au **289**.

23

Peu avant l'aube, Schera vous éveille et vous vous forcez péniblement à quitter votre couche de fortune. En prévision du périple hasardeux qui vous attend, vous fouillez l'armurerie sans perdre de temps, découvrant quelques armes et objets susceptibles de vous être utiles :
Six flèches
Un carquois
Un poignard
Une épée
Une lance
(N'oubliez pas de noter sur votre *Feuille d'Aventure* le ou les objets que vous décidez d'emporter.) Pendant ce temps, le Capitaine fait passer le mot à ses hommes de se mettre en quête de bateaux pour descendre le fleuve. Son ordre est suivi avec diligence et, en une heure, vingt petites embarcations se retrouvent rassemblées sur la rive ouest du cours d'eau glacé, à la hauteur du pont de pierre. Après avoir assigné dix hommes à chaque barque, il embarque avec vous dans la première. Puis vous quittez la rive et vous vous laissez entraîner par les flots vers la cité côtière de Dhârk. La force du courant et l'absence d'obstacles sur le fleuve permettent à votre flottille de voguer à belle allure. Mais les bois qui envahissent les rives peuvent dissimuler des archers Drakkarims en embuscade, Schera ordonne donc à cha-

cun de demeurer vigilant. En fin de compte, vous traversez les zones boisées sans incident et, peu avant midi, vous apercevez dans le lointain les ruines de la ville d'Odnenga. En approchant, vous découvrez que tous ses bâtiments ont été rasés et qu'un voile de fumée plane au-dessus de la cité ; ce sont les feux d'une bataille livrée il y a déjà plusieurs jours qui achèvent de se consumer. A hauteur de la ville, le fleuve est obstrué par des monceaux de décombres qui vous obligent à regagner la rive. Pendant que les hommes de Schera s'activent à libérer un passage entre les obstacles, vous vous aventurez avec le Capitaine parmi les ruines dans l'espoir de trouver quelque information. Une voie noircie par la fumée des incendies traverse d'est en ouest la cité ravagée, la divisant en deux parties. Lorsque vous la rencontrez, Schera propose que vous vous sépariez afin d'explorer chacun une moitié de la ville, et vous accueillez sa suggestion d'un hochement de tête approbateur. Si vous voulez inspecter la partie nord de cette cité en ruine, rendez-vous au **2**. Si vous préférez fouiller les quartiers sud, rendez-vous au **296**.

24

Touché à mort, le Mahaw pousse un cri d'outre-tombe et s'effondre dans la neige, agité de spasmes et de tremblements convulsifs. Puis tout son corps se raidit et cesse de bouger. A l'instant même, Prarg émerge de sa transe hypnotique et vous découvrez avec étonnement qu'il ne conserve aucun souvenir de ce qui s'est passé depuis une heure. Laissant derrière vous le cadavre du monstre, vous vous hâtez de vous enfoncer dans la forêt. Guidé par votre instinct et par vos facultés d'exploration, vous couvrez plus de huit kilomètres à pied vers le nord avant que le sous-bois commence à s'éclaircir. Bientôt, vous émergez de la forêt pour découvrir un spectacle impressionnant. Rendez-vous au **192**.

25

Vous êtes introduits dans une somptueuse salle tendue d'étendards Lenciens et décorée de parures exotiques originaires des contrées les plus reculées du Magnamund. Tout autour de la pièce, des hommes d'armes sont au garde-à-vous, l'œil vigilant et impassible sous la visière de leur heaume, tandis que vous vous avancez vers le trône qui s'élève au milieu, trône sur lequel un vieillard est assis. Son visage bienveillant, auréolé d'une ample chevelure d'argent, est resté mince et ferme malgré le poids des ans : le Roi Sarnac. « Soyez le bienvenu, Grand Maître, dit-il en se levant de son trône pour vous tendre une main amicale. J'ai prié pour que vous veniez au plus vite nous aider à abattre ce chien de Magnaarn, mais je n'osais espérer vous voir accourir si vite ! Au nom de tout Lencia, je vous salue, ami fidèle. » Vous répondez de bon cœur aux chaleureuses paroles du Roi ; puis il félicite le Seigneur Floras de sa diligence et le congédie. Il vous entraîne alors dans une antichambre afin de vous entretenir de la mission qui vous attend. « Les derniers rapports des espions et des éclaireurs que j'ai envoyés dans le nord disent que Magnaarn se trouve en ce moment à Shugkona, au quartier général de son armée. Par ailleurs, on a vu des Drakkarims ratisser une partie la Forêt de Tozaz située à une centaine de kilomètres au nord de cette place ennemie. Aussi pensons-nous que c'est là qu'il compte trouver la Pierre Maudite de Dhârk. Il y a beaucoup d'anciens temples dans cette région, et l'un d'eux pourrait bien abriter cette gemme infernale... » Le Roi s'interrompt un moment et, soulevant délicatement un pichet incrusté de rubis, il emplit deux verres de cristal d'un vin ambré aux effluves subtils et vous en offre un. Après l'avoir accepté sans dissimuler votre plaisir, vous dégustez ce breuvage rare en écoutant le Roi exposer son plan d'action. « Grand Maître, dit-il en vous fixant de son regard pénétrant, pour empêcher Magnaarn d'arriver à ses fins, vous devrez aller jusqu'à Shugkona et le trouver. Il faudra le tuer ou, si cela se révèle impossible, détruire la Pierre Maudite avant qu'il puisse l'utiliser contre nous. Le succès de votre mission dépend de son secret, c'est pourquoi nous ne pouvons marcher directement sur Shugkona. La ligne de front s'étend à une centaine de kilomètres de cette forteresse et toute la région grouille de Drakkarims. Mais il y a un chemin que l'ennemi ne surveillera pas. J'ai pris des dispositions pour que vous puissiez gagner par bateau un endroit que nous appelons le Roc de l'Ours, sur le cours de la Gourneni, qui ne se trouve qu'à cinquante kilomètres du quartier général de Magnaarn. Toutefois, cet itinéraire comporte un inconvénient... pour rejoindre la rivière, vous devrez pénétrer dans les Marais de l'Enfer. » En dépit de votre longue expérience du danger, votre sang se glace à la seule évocation de ce nom funeste : les Marais de l'Enfer sont une des contrées les plus sauvages de tout le Magnamund ! Percevant votre appréhension, le Roi Sarnac s'efforce d'atténuer vos craintes. « Je comprends votre inquiétude, Grand Maître, mais soyez assuré que vous n'aurez pas à vous y aventurer seul. L'un de mes meilleurs officiers vous servira de guide tout au long de votre mission. Il a déjà exploré cette voie et saura vous garder des dangers. Dès que vous aurez atteint le Roc de l'Ours, il vous conduira à travers la forêt jusqu'à Shugkona. Lorsque vous y serez, votre tâche consistera à dénicher Magnaarn et à accomplir tout ce que votre quête impose. Une fois votre mission achevée, mon officier vous fera traverser nos lignes et vous ramènera ici, à Vadera, en sécurité. » Sur ces mots, le Roi tend la main vers un cordon caché dans un orifice ménagé dans la voûte bombée et il l'actionne, faisant résonner une cloche dans une lointaine partie de la citadelle. « A présent, Grand Maître, poursuit-il en se tournant vers la porte de l'antichambre, il est temps que je vous présente votre guide. » Si vous avez participé à la bataille de Cetza dans une précédente aventure du Loup Solitaire, rendez-vous au **315**. Si vous n'y étiez pas, rendez-vous au **123**.

26

Vous vous enfoncez dans le tunnel, rencontrant de nombreuses fissures ouvertes dans le sol et les murs de pierre. Il finit par déboucher sur un escalier en ruine que vous escaladez jusqu'à un palier. Vous y découvrez le cadavre d'un Drakkarim couché sur un monticule de débris qui obstruent la cage de l'escalier menant à l'étage supérieur. Un rapide examen de son corps vous révèle qu'il a les deux bras cassés : blessé et pris au piège par l'effondrement du temple, ce garde a fini par mourir d'inanition. Si vous voulez inspecter le cadavre de plus près, rendez-vous au **247**. Si vous préférez tenter de dégager les gravats qui bloquent l'escalier, rendez-vous au **347**.

27

Obéissant à votre instinct Kaï, vous retirez le Bâton d'Argent de votre poche et vous l'introduisez dans la serrure. Il s'y insère à la perfection. Sans un bruit, le verrou se déclenche et la porte s'ouvre, révélant les silhouettes peu engageantes de deux gardes Tukodaks qui vous tournent le dos. Percevant une présence, l'un d'eux tourne la tête pour jeter un regard par-dessus son épaule. Mais, avant qu'il ait pu empoigner une arme ou alerter son camarade, vous bondissez en avant et vous les réduisez tous deux au silence en leur brisant la nuque de deux coups vifs du tranchant de la main. Rendez-vous au **83**.

28

Vous vous abattez sur le lancier et vous lui faites vider les étriers avant de reprendre le contrôle de sa monture effrayée et de la lancer au grand galop vers la place. Tenant les rênes d'une main, vous tirez la lance de son fourreau et vous la pointez sur la masse compacte des soldats Drakkarims qui vous séparent de l'échafaud. Rendez-vous au **63**.

29

Pour votre malheur, vous ne parvenez pas à lancer le sort assez vite pour empêcher la flèche Drakkarim de vous frapper en pleine poitrine. Vous vous effondrez sur le dos et vous perdez 6 points d'ENDURANCE. Serrant les dents, vous empoignez la flèche et vous l'arrachez de votre poitrine ensanglantée. Puis, faisant appel à vos pouvoirs de guérison, vous parvenez à interrompre l'hémorragie. Durant près d'une heure, vous demeurez couché sur le dos au fond du bateau, fixant le ciel gris en laissant le courant vous emporter vers l'aval. Et lorsque vous finissez par vous relever, vous constatez que les Drakkarims renégats sont hors de vue. Votre voyage se poursuit sans autre incident jusqu'au moment où, à la fin de l'après-midi, les contours d'une ville se découpent sur l'horizon. Consultant votre carte, vous constatez qu'il s'agit de Konozod, place fortifiée Drakkarim. Tandis que le courant vous en rapproche, vous intensifiez votre acuité visuelle et vous découvrez qu'elle est bâtie sur la rive gauche du Shug. Face à la ville, le fleuve est enjambé par un grand pont de pierre dont les arches sont reliées par un barrage de pieux et de chaînes qui obstrue toute la largeur des eaux. Si vous voulez laisser votre barque continuer à dériver vers ce barrage, rendez-vous au **314**. Si vous préférez l'éviter, vous pouvez aborder et poursuivre votre route à pied en vous rendant au **231**.

30

Après plusieurs tentatives infructueuses, vous renoncez à ouvrir cette serrure et vous quittez la pièce. Inquiet de ce qui pourrait arriver si vous vous attardiez dans ces parages, vous revenez sur vos pas jusqu'à l'endroit où vous êtes sorti du passage effondré. Vous y faites halte afin de reprendre votre souffle, puis vous poursuivez votre route le long du tunnel jusqu'au bord du gouffre. Vous scrutez cette vaste et sombre crevasse dans l'espoir de découvrir une issue à votre sinistre prison souterraine. Si vous maîtrisez la Grande Discipline de l'Alchimie Kaï, rendez-vous au **340**. Sinon, rendez-vous au **138**.

31

En dépit de votre appréhension croissante, vous traversez au grand galop le glacis désolé qui s'étend entre les défenses intérieures et extérieures de Shugkona et, bientôt, ces dernières se profilent devant vous. Elles sont constituées de barriques de bois emplies de terre, dressées à hauteur d'homme, derrière lesquelles se trouve posté un escadron d'archers Drakkarims prêt à tirer au premier mouvement suspect. Sans perdre un instant, vous faites pivoter votre monture hors de la route afin de la lancer sur le sol neigeux et défoncé du glacis en direction d'une lointaine ligne de tranchées. Par chance, les défenses du périmètre nord sont les plus faibles du dispositif. Les tranchées sont vides, les gardes qui y étaient postés les ayant quittées plus tôt pour assister à l'exécution de Prarg sur la grand-place. Cependant, votre cheval surchargé commence à subir les effets de l'allure et du terrain difficile. Son souffle de plus en plus rauque et l'écume blanche qui jaillit de sa bouche trahissent son épuisement, et vous vous prenez à redouter qu'il soit incapable de sauter par-dessus les tranchées dont vous approchez à pleine vitesse. Utilisez la *Table de Hasard*. Si vous maîtrisez la Grande Discipline du Contrôle Animal, ajoutez 3 au chiffre que vous avez tiré. Si vous avez atteint le rang de Grand Maître Tutélaire ou un rang supérieur, ajoutez 1 à ce chiffre. Si le résultat est inférieur ou égal à 3, rendez-vous au **246**. S'il est compris entre 4 et 7, rendez-vous au **87**. S'il est supérieur ou égal à 8, rendez-vous au **165**.

32

« Vite, Prarg ! criez-vous alors que la meute se déploie pour vous encercler. Combattons dos à dos. Quoi qu'il arrive, ne les laissons pas nous séparer ou nous sommes perdus ! » Le Capitaine obéit aussitôt à votre commandement et vous bandez tous deux vos muscles afin de soutenir le terrible assaut quand le premier des Chiens de Guerre bondit en avant, tous crocs dehors.

MEUTE D'AKATAZ
SAUVAGES HABILETÉ : 38 ENDURANCE : 50

Ces Chiens de Guerre sont particulièrement sensibles aux assauts psychiques. Multipliez par deux tous les points supplémentaires dont vous êtes en droit de bénéficier si vous décidez d'employer une attaque psychique au cours de ce combat. Si vous êtes vainqueur, rendez-vous au **286**.

33

Pendant un temps qui semble une éternité, vous escaladez dans la pénombre d'un pas aussi régulier que possible les marches gluantes de vase, étroites et escarpées. Enfin, vous arrivez devant une porte rongée de vétusté sur laquelle vos doigts découvrent en tâtonnant un loquet de métal rouillé. Elle s'ouvre en grinçant sur une salle sombre dont la haute voûte est soutenue par des piliers de marbre couverts de moisissure. Le sol est tapissé de champignons verts mouchetés de blanc dont certains dépassent votre taille, et l'atmosphère humide qui règne dans les lieux est chargée de spores. Vous traversez lentement la salle jusqu'à un passage voûté flanqué de piliers de pierre sculptés de façon à leur donner l'aspect de deux énormes livres ouverts. Autour de la base de ces curieux piliers, vous remarquez plusieurs bouquets de champignons charnus que vous reconnaissez aussitôt : on les appelle des floroas et ils ont la particularité d'être très nourrissants. Vous en cueillez une poignée que vous engloutissez avidement avant de quitter cette salle : récupérez 3 points d'ENDURANCE. (Si vous désirez emporter quelques-uns de ces champignons, inscrivez-les sur votre *Feuille d'Aventure* dans la liste des objets transportés dans votre Sac à Dos. Vous pourrez récupérer 3 points d'ENDURANCE en les consommant par la suite.) Rendez-vous ensuite au **333**.

34

Le spectacle de Prarg pris en otage par ces infects Drakkarims vous emplit de fureur, mais vous n'osez pas le montrer car la plus petite provocation pourrait entraîner la mort du Capitaine. Gardant votre sang-froid, vous demandez au Seigneur de la Guerre Magnaarn de se montrer. Sa réponse ne se fait pas attendre. Rendez-vous au **200**.

35

En moins de temps qu'il n'en faut pour le dire, vous expédiez les deux Chevaliers de la Mort en enfer et vous faites rouler leurs cadavres dans l'escalier afin de retarder les autres Drakkarims. Puis, sans perdre une seconde, vous vous précipitez vers une fenêtre à l'autre extrémité de la tour. Au-dehors, juste à la verticale de l'endroit où vous vous trouvez, vous voyez un lancier Drakkarim monté sur un cheval de bataille. Sa lance est enfoncée dans un fourreau cylindrique fixé à l'arrière de la selle et il brandit un sabre de cavalerie. Tout occupé à encourager les soldats qui entrent dans la tour, il n'est pas conscient de votre présence, quelques mètres au-dessus de lui. Sans un bruit, vous grimpez sur l'appui de la fenêtre et, dégainant votre arme, vous vous laissez tomber sur lui comme la foudre. Utilisez la *Table de Hasard*. Si vous maîtrisez la Grande Discipline de l'Art de la Chasse, ajoutez 3 au chiffre que vous tirez. Si le résultat est inférieur ou égal à 4, rendez-vous au **153**. S'il est supérieur ou égal à 5, rendez-vous au **28**.

36

Vous escaladez les marches derrière Prarg et vous vous élancez à sa suite le long du chemin de ronde jonché de cadavres sanglants, tandis qu'en contrebas les combats continuent de faire rage aussi bien dans l'enceinte des murs qu'à l'extérieur. Le chemin de ronde aboutit à une tour dans laquelle vous vous engouffrez. Vous gravissez quatre à quatre un escalier en colimaçon jusqu'à un palier circulaire où vous êtes contraints de vous dissimuler dans l'ombre pour éviter une escouade de Drakkarims qui arrivent à votre rencontre. Pendant qu'ils passent sans vous voir dans un lourd bruit de bottes, vous jetez un coup d'œil par une meurtrière et vous apercevez les eaux du Golfe de Lencia et la bataille qui fait rage sur la plaine côtière. « Les Croisés du Roi ont enfoncé les portes de la cité il y a trois jours, vous murmure Prarg à l'oreille. Ils étaient sur le point de s'emparer de la place quand Magnaarn et ses armées sont arrivés. Fort de son nouveau pouvoir, il a brisé l'élan des Croisés et dispersé leurs rangs, mais ils n'ont pas tous été chassés hors des murs. Ceux que vous avez vus combattre autour du donjon essaient de tenir bon jusqu'à la venue de nos alliés du Kasland dont la flotte peut arriver à tout instant. Il faut tuer Magnaarn à tout prix. Le Sceptre et lui ne forment plus qu'une entité : il n'est plus que la marionnette d'une force maléfique infiniment plus grande... » A cet instant, et pour la première fois depuis que vous avez pénétré dans Dhârk, vous percevez la présence de la Pierre Maudite. Et, aussitôt, la peur revient vous hanter. La peur que la gemme diabolique ne sape vos forces comme elle l'avait fait lorsque vous y avez été confronté pour la première fois au Temple d'Antah. S'il devait en être à nouveau ainsi, Magnaarn ne pourrait être vaincu. Devinant vos pensées, Prarg s'efforce de vous redonner espoir : « Le Seigneur de la Guerre a chèrement payé la prise de Dhârk : il a consumé une bonne partie de ses forces dans la bataille. Il a été obligé de se retirer des combats afin de recouvrer son pouvoir, et il est plus vulnérable que jamais. C'est maintenant qu'il faut frapper, messire ! » La voie est libre, vous quittez donc le palier par un corridor qui conduit à une intersection où un autre passage court de droite à gauche. En regardant à droite, vous constatez que le couloir est barré par une porte d'acier. A sa vue, Prarg laisse échapper un juron et vous explique : « Cette voie mène droit à la Tour du Palais. Et c'est dans sa plus haute chambre que Magnaarn se cache... » Scrutant d'un œil anxieux la direction opposée, il ajoute en fronçant les sourcils : « Mais peut-être pouvons-nous l'atteindre par un autre chemin ? » Si vous voulez examiner la porte d'acier, rendez-vous au **220**. Si vous préférez tenter de gagner la Tour du Palais par l'autre passage, rendez-vous au **182**.

37

Soudain, votre instinct Kaï vous prévient que Prarg marche vers un périmètre où la glace est mince. Vous hurlez une mise en garde, mais il est déjà trop tard ! Dans un craquement sinistre, la couche de glace se brise sous les pieds de votre compagnon et il disparaît dans un bouillonnement d'eau grise et de glaçons. Si vous avez une corde, rendez-vous au **211**. Sinon, rendez-vous au **346**.

38

Votre flèche fend l'air et va se ficher avec un bruit mat dans la gorge de la créature. Le Ciquali vous fixe de ses yeux globuleux comme si le trait ne lui avait fait aucun mal, puis il bascule en arrière pardessus le plat-bord et coule à pic dans l'eau boueuse. Aussitôt, tous ses congénères désertent l'embarcation avec un bel ensemble, se laissant glisser avec des bruits visqueux vers leurs froides tanières aquatiques. Le silence revient à la surface, mais vous restez sur vos gardes un long moment, craignant une ruse, avant de pousser un profond soupir de soulagement en comprenant qu'ils sont bel et bien partis. Grâce à sa robuste constitution et avec l'aide de vos pouvoirs de guérison, Prarg se remet des mauvais coups qu'il a reçus au cours de son combat avec le chef Ciquali. Quant à votre esquif, il a lui aussi plutôt bien survécu à l'attaque, ce qui vous permet de vous remettre en route sans plus tarder. L'obstacle contourné, vous hissez la voile et, poussés par les vents dominants, vous remontez le canal vers le nord. Cette rencontre mouvementée vous ayant creusé l'estomac, vous devez prendre un Repas faute de quoi vous perdez 3 points d'ENDURANCE. Rendez-vous ensuite au **322**.

39

La bataille qui s'ensuit est aussi brève que féroce. Dans l'heure, le plus gros de la garnison Drakkarim est passée au fil de l'épée et Konozod se retrouve aux mains des Lenciens. Cependant, plusieurs fuyards sont parvenus à traverser le fleuve pour s'échapper à cheval vers le nord, laissant craindre au Capitaine Schera qu'ils ne reviennent bientôt avec des renforts. En fouillant la ville, ses hommes ne tardent pas à découvrir un entrepôt de nourriture et, tandis qu'ils réconfortent leurs estomacs affamés, vous vous entretenez avec leur chef des événements qui ont marqué les semaines précédant votre rencontre. Il vous apprend ainsi qu'après que vous ayez été enterré vif sous les décombres du Temple d'Antah, le Seigneur de la Guerre Magnaarn a lancé une vaste offensive contre les Lenciens. Ayant réuni la Pierre Maudite et le Sceptre de Nyras, il a contraint les sorciers Nadziranims de Kagorst et d'Akagazad à l'aider, ainsi que le craignait le Roi Sarnac. Usant de l'extraordinaire puissance de destruction que leur procurent leurs pouvoirs combinés, ils ont chargé les lignes Lenciennes et les ont enfoncées dans un assaut bref et meurtrier. Il y a une semaine de cela, le Capitaine Schera et son régiment ont été coupés du reste de leur armée et capturés en combattant devant Hokidat, avant d'être conduits jusqu'ici à marche forcée et internés dans le camp d'où vous les avez délivrés. Il vous avoue s'estimer heureux d'être encore en vie car les Drakkarims n'ont guère l'habitude de faire de prisonniers. Vous lui demandez s'il a pu obtenir des nouvelles de la guerre depuis qu'il est arrivé ici. « Tout est confus, répond-il. J'ai entendu dire que la plupart des mercenaires à la solde du Roi Sarnac avaient déserté notre camp. Certains seraient même passés à l'ennemi. Les Drakkarims se moquaient de nous en nous disant que notre armée avait été écrasée. Ils prétendaient que ses débris avaient été rejetés à la mer, dans les Tentarias, mais j'ai refusé d'en croire un mot. Cependant, une chose est sûre : Magnaarn a l'intention de briser le siège de Dhârk. C'est désormais son cri de guerre : A Dhârk ! Ce cri jaillissait des bouches de tous ses soldats devant Hokidat. Je l'ai vu de mes yeux au cours de la bataille. Il était à la tête de son armée, brandissant son maudit Sceptre et dispensant la mort à tous ceux qui osaient se dresser devant lui. Il dispose maintenant d'un immense et terrible pouvoir, et j'ai bien peur que nous soyons incapables de faire obstacle à ses ambitions... » Si vous voulez demander à Schera s'il sait quelque chose au sujet du Capitaine Prarg, rendez-vous au **97**. Sinon, rendez-vous au **236**.

40

A peine avez-vous frappé le dernier coup sur la serrure qu'elle émet un déclic. Puis la porte s'ouvre avec lenteur sur une salle obscure et désolée dont les murs de brique laissent suinter un limon puant. Si vous maîtrisez la Grande Discipline de l'Art de la Chasse, rendez-vous au **196**. Sinon, rendez-vous au **126**.

41

Peu après minuit, vous êtes réveillé par l'écho de hurlements de Loups. Dans l'instant, vous bondissez et vous courez, l'arme au poing, vers l'endroit de la rive où vous avez posté vos Loups de garde. Arrivant au sommet de la berge, vous les voyez tous deux aller et venir d'un trot rapide, fixant la lisière de la forêt, leur fourrure blanche hérissée. Fouillant des yeux la ligne des arbres qui les entoure, vous comprenez la cause de leur émoi : des Akataz ! Une douzaine de Chiens de Guerre noirs rôdent dans l'ombre, attendant la première occasion d'attaquer. Il vous est arrivé plus d'une fois d'affronter ces bêtes féroces souvent enrôlées par les Drakkarims. Au souvenir de ces rencontres, vous vous rappelez que ces fauves ont un point faible : ils sont particulièrement sensibles aux attaques psychiques. Fort de cette expérience, vous concentrez votre pouvoir de Foudroiement Psychique et vous projetez une violente décharge d'énergie sur la meute. Son effet est instantané : affolés par cet assaut inattendu, les Akataz détalent en glapissant pour se réfugier dans la pénombre de la Forêt de Tozaz. Certain qu'ils ne sont pas près de revenir, vous allez rassurer vos deux fidèles gardes à quatre pattes de quelques tapes affectueuses avant de retourner au bateau achever votre nuit. Rendez-vous au **215**.

42

Le sorcier Nadziranim s'est métamorphosé en énorme monstre au long museau renifleur qui s'avance vers vous en se dandinant sur six pattes armées de longues griffes. Son affreuse tête bulbeuse se dresse comme une excroissance entre ses épaules massives, ornée de sinistres yeux laiteux qui roulent dans leurs orbites proéminentes, et la fourrure puante qui couvre son corps semble se hérisser à mesure qu'il s'approche, pas à pas. Si vous possédez le Glaive de Sommer, rendez-vous au **271**. Sinon, rendez-vous au **134**.

Peu de temps après que le passage secret se fut refermé, l'écho d'un tonnerre lointain retentit. Puis le sol se

42 *Le sorcier Nadziranim s'est métamorphosé en énorme monstre au long museau renifleur.*

met à trembler et des cascades de poussière commencent à s'écouler de fissures qui s'ouvrent dans la voûte. Vos forces reviennent mais, avant que vous ayez pu tenter de fuir, une formidable explosion ébranle tout l'édifice et une avalanche de roches et de terre se déverse dans le tunnel. Le sol et le plafond semblent tirés dans des directions contraires par des mains géantes et, dans un effroyable craquement de pierre torturée, la lourde herse se brise en deux. Sans perdre votre sang-froid, vous rampez sous l'un de ses fragments qui s'est abattu en biais contre le mur, à l'abri des tonnes de débris qui pleuvent de la voûte fracassée. Quand le séisme s'achève enfin, vous êtes bloqué dans une étroite poche triangulaire entre le morceau de herse et le mur. Grâce à votre présence d'esprit, vous êtes sain et sauf mais, pour autant que vous pouvez en juger, vous vous trouvez désormais enseveli sous les décombres d'un des niveaux inférieurs du temple, à plusieurs dizaines de mètres sous la surface du sol. Mais il en faut plus pour abattre la détermination d'un Grand Maître Kaï : sachant que, au pire, votre endurance et vos pouvoirs exceptionnels peuvent à eux seuls vous maintenir en vie durant de longs jours, vous commencez à creuser en vue de vous évader de cette prison souterraine. Rendez-vous au **156**.

44

Les Gorodons émergent lourdement des hauts-fonds. En désespoir de cause, vous faites appel à la Grande Discipline du Contrôle Animal pour tenter de les calmer. Mais votre pouvoir est trop faible pour ralentir leur attaque. Vous ne pouvez plus que vous en remettre à votre arme face aux trois monstres affamés qui se ruent sur vous.

GORODONS HABILETÉ : 46 ENDURANCE : 60

Si vous sortez vainqueur de ce combat en six Assauts ou moins, rendez-vous au **264**. Si l'affrontement n'est pas achevé au début du septième Assaut, cessez le combat et rendez-vous immédiatement au **155**.

45

Guidé par votre intuition, vous vous engagez avec Prarg sur la piste forestière en direction de l'ouest et, bientôt, vos pouvoirs d'exploration vous préviennent que vous approchez d'un campement ennemi. Ayant averti Prarg, vous l'entraînez à pas de loup dans le sous-bois et vous vous faufilez discrètement à travers une ligne de sentinelles Drakkarims. Peu après, dissimulés sous le couvert de l'épaisse forêt, vous examinez le camp à loisir : il est occupé par deux douzaines de soldats, avec chevaux, chariots et tentes. Prarg vous désigne en silence l'emblème qui orne leur uniforme et leur équipement : un aigle noir tenant deux épées ardentes dans ses serres. « Ce sont des Tukodaks – la garde personnelle du Seigneur de la Guerre Magnaarn, vous murmure-t-il à l'oreille. Il serait sage de les éviter. » Vous acquiescez puis vous vous éloignez du camp et vous vous dirigez vers le nord entre les arbres. Quelque chose vous attire dans cette direction précise, quelque chose que vos sens ont détecté. Ils ont perçu une aura d'énergie, une énergie si puissante et maléfique que sa source, vous en êtes sûr, ne peut être que la Pierre Maudite de Dhârk. Après quelques minutes de marche, vous arrivez devant une clairière au centre de laquelle se dressent les ruines majestueuses d'un temple antique. Dès l'instant où vos yeux se posent sur cet édifice, vous savez qu'il s'agit du Temple d'Antah. Et vous savez que la Pierre Maudite est là, cachée quelque part au fond des ruines. Rendez-vous au **100**.

46

Stoïquement, vous vous frayez un passage à travers les bois touffus, suivant comme un chien de chasse les traces laissées par Magnaarn et ses hommes. Au crépuscule, vous finissez par atteindre la lisière de la forêt. Vous vous retrouvez devant une vaste plaine nue enneigée. Cette étendue vide n'offre aucune couverture, mais la nuit tombante devrait vous aider à échapper aux regards. En émergeant du rideau d'arbres, vous remarquez par hasard un objet à demi enfoui dans la végétation. A y regarder de plus près, il s'agit d'un grand Sac à Dos de Drakkarim. Vous y trouvez les objets suivants :

Un arc
Deux flèches
De la nourriture pour 2 Repas
Potion d'Alether (elle vous permet d'accroître votre HABILETÉ de 1 point pendant la durée d'un seul combat)
Une bouteille de vin
Une corde d'arc

Si vous désirez emporter un ou plusieurs de ces objets, n'oubliez pas de modifier en conséquence votre *Feuille d'Aventure*. Après quoi, rendez-vous au **103**.

47

Averti de votre prémonition, le Capitaine Prarg a la sagesse d'en tenir compte. Il vous conseille d'amener la voile pour éviter que le vent pousse votre embarcation vers les herbes flottantes. Cependant, même une fois la voile baissée, votre bateau continue de dériver vers l'obstacle. Muscles tendus et arme au poing, vous vous préparez à toute éventualité quand la barque s'approche du barrage. Pendant quelques instants, vous n'entendez que le clapotis de l'eau, puis un gargouillis abject déchire le silence et une douzaine de monstres visqueux émergent des profondeurs du marais dans un furieux bouillonnement. Ils jaillissent des herbes flottantes et des bosquets humides qui garnissent la berge. En quelques secondes, vous êtes encerclés. « Des Ciqualis ! » s'exclame Prarg avant d'assener un furieux coup d'épée à la plus hardie des créatures à tête bulbeuse qui tente de se hisser à bord. Sa lame tranchante comme un rasoir sectionne net le poignet de la bête, expédiant au loin sa patte palmée aux écailles luisantes. Le Ciquali retombe à l'eau avec un glapissement perçant, mais il n'a pas plus tôt disparu sous la surface que deux de ses congénères agrippent à leur tour le plat-bord. Si vous avez un arc et si vous désirez en faire usage, rendez-vous au **180**. Si vous n'en avez pas, ou si vous ne voulez pas vous en servir, rendez-vous au **7**.

48

Vos pouvoirs vous permettent de découvrir des traces presque invisibles dans la poussière qui recouvre le sol inégal. Elles ont été laissées par un être d'une corpulence supérieure à la vôtre, une grande créature bipède aux orteils griffus, à la démarche lourde et traînante. Vous êtes occupé à dessiner dans la poussière le contour de son pied imposant quand vos sens aiguisés vous préviennent de l'approche d'une présence hostile dans le corridor. Si vous voulez éviter une fâcheuse rencontre, vous pouvez tourner les talons et détaler le long du tunnel dans la direction opposée (rendez-vous au **252**). Si vous préférez dégainer votre arme et avancer à la rencontre de cette menace inconnue, rendez-vous au **122**.

49

Vous vous abattez sur le lancier mais, en dépit du choc, il parvient à rester en selle et se débat avec fureur. Avant que vous ayez réussi à lui faire vider les étriers, son gantelet clouté vous entaille cruellement la joue : vous perdez 2 points d'ENDURANCE. Votre adversaire finit par tomber lourdement et s'assomme dans sa chute. Vous reprenez le contrôle de sa monture et vous la lancez à bride abattue vers la place. Tenant les rênes d'une main, vous tirez la lance de son fourreau et vous la pointez sur la masse compacte des soldats Drakkarims qui vous séparent de l'échafaud. Rendez-vous au **63**.

50

Escortée par une douzaine de Drakkarims armés de lances et d'arbalètes, une file de prisonniers Lenciens en haillons traverse le pont de pierre. La porte principale s'ouvre devant eux et, alors que les Lenciens la franchissent tête basse, humiliés par la défaite, vous découvrez que la place centrale de la ville a été transformée en camp de prisonniers entouré d'une grossière enceinte de fil de fer barbelé et de pieux aiguisés le long de laquelle patrouillent des sentinelles et des Chiens de Guerre Akataz. D'après le peu que vous pouvez voir, au moins deux cents Lenciens s'y trouvent parqués. Leurs conditions de captivité sont révoltantes : ils sont entassés en plein air, sans le moindre abri ni la plus petite source de chaleur et, à en juger par leur état, les Drakkarims semblent décidés à les faire mourir de faim. Bouillant de colère, vous vous jurez de faire quelque chose pour ces malheureux. Mais avant d'avoir pu échafauder un plan, vous entendez des pas s'approcher. Deux gardes Drakkarims se sont subrepticement écartés du reste de l'escorte. L'un d'eux porte un grand sac de toile sur l'épaule, et ils se dirigent vivement vers la ruelle. Vous êtes contraint de vous dissimuler dans l'ombre d'un porche pour éviter d'être aperçu par ces importuns. Utilisez la *Table de Hasard*. Si vous maîtrisez la Grande Discipline de l'Invisibilité, ajoutez 3 au chiffre que vous tirez. Si le résultat est inférieur ou égal à 4, rendez-vous au **116**. S'il est supérieur ou égal à 5, rendez-vous au **259**.

51

Au moment où vous sentez les eaux froides de la Gourneni vous lécher les jambes, vous poussez de toutes vos forces sur la poupe et vous lancez l'embarcation dans les hauts-fonds. Prarg grimpe pardessus le plat-bord, puis il se retourne en vous tendant les bras pour vous hisser dans le bateau. « Vite, Loup Solitaire ! hurle-t-il. Ils sont presque sur nous ! » Halé par votre vigoureux compagnon, vous embarquez si vivement que vous allez rouler cul par-dessus tête dans le fond du bateau, échappant de justesse aux cornes du premier Gorodon. Livrée au courant, votre barque dérive vers le milieu de la rivière et se retrouve bientôt hors d'atteinte des monstres qui, malgré la faim qui les tenaille, semblent renoncer à vous poursuivre. « Par tous les dieux, nous l'avons échappé belle ! soupire Prarg en s'efforçant de dégager les avirons pour les replacer dans leurs tolets. Nous pouvons nous estimer heureux de nous en tirer sains et saufs. La première fois que j'ai navigué dans ces chenaux, j'ai perdu trois de mes meilleurs hommes dans une attaque de Gorodons. Quoique, il faut bien le dire, on peut y rencontrer d'autres créatures qui sont encore bien pires. Oui, bien pires... » Ramant avec énergie, vous atteignez la rive ouest et vous accostez sans difficulté avant de dresser votre bivouac sur une bande d'herbe gelée dominant une morne étendue de marais. La nuit est maintenant tout à fait tombée. Réfugié sous l'abri précaire de votre embarcation retournée, vous promenez votre regard scrutateur sur les cieux noirs. Des nuages chargés de neige courent sur l'horizon. Spectacle peu réjouissant car il annonce le blizzard. Prarg propose de prendre le premier tour de garde, mais, sentant qu'il a plus besoin de repos que vous, vous insistez pour qu'il dorme un peu. Durant quatre heures, vous restez assis, les yeux parcourant le sinistre horizon et l'esprit agité de maintes questions sans réponse sur le devenir de votre mission et tous les périls que vous allez encore devoir affronter. Mais tout en méditant sur ces inquiétantes perspectives, vous conservez les sens en alerte, les pensées encore pleines du souvenir de votre dangereuse rencontre sur l'autre rive. Heureusement, le froid de plus en plus vif semble avoir dissuadé les hôtes des Marais de l'Enfer de quitter leur tanière cette nuit. Ainsi arrive le moment de réveiller votre compagnon. Et Prarg prend son quart sans parvenir à dissimuler un manifeste manque d'enthousiasme, pendant que vous allez vous étendre pour savourer quelques heures d'un sommeil réparateur. Rendez-vous au **327**.

52

Vous descendez avec précaution la piste glissante depuis le sommet de la colline et vous vous approchez du pont. L'épaisse couche de neige étouffe vos pas, vous permettant d'atteindre la cabane sans alerter ses occupants. Après avoir confié la garde du cheval à Prarg, vous lui recommandez d'ouvrir l'œil pendant que vous allez inspecter l'écurie. Vous vous glissez le long du mur de la cabane et vous parvenez à la hauteur de son unique fenêtre. Si vous voulez jeter un coup d'œil par cette fenêtre, rendez-vous au **263**. Si vous préférez aller directement à l'écurie, rendez-vous au **115**.

53

Mortellement touché, le Drakkarim vacille un instant sur ses jambes. Avec un hoquet de douleur et de surprise, il porte les mains à sa poitrine ensanglantée, puis s'effondre sans vie à vos pieds. Sans perdre de temps, vous enjambez son cadavre et vous vous précipitez vers la table pour examiner la carte. Au bout d'un instant, vous étouffez un juron de dépit en constatant qu'il s'agit d'un simple plan du campement qui ne peut vous fournir aucun indice sur l'endroit où peut se trouver Magnaarn à présent. Si vous voulez fouiller la cabane plus en détail, rendez-vous au **213**. Si vous préférez ressortir pour rejoindre Prarg, rendez-vous au **277**.

54

L'affrontement est aussi rapide que meurtrier pour les cavaliers Drakkarims. Mais bien que décimés, ils restent de redoutables combattants. Leur chef est un formidable tireur de sabre dont la lame sifflante envoie près d'une vingtaine de Lenciens rejoindre leurs ancêtres avant qu'il se retrouve seul en face d'un Grand Maître Kaï.

CAPITAINE
ZAGGANOZOD HABILETÉ : 36 ENDURANCE : 38

Si vous sortez vainqueur de ce combat, rendez-vous au **341**.

55

Vos sens vous préviennent que Prarg avance droit vers un périmètre de glace trop mince pour supporter son poids. Vous lui criez aussitôt un avertissement qui le fige sur place. Il revient avec précaution sur ses pas et il emboîte les vôtres tandis que vous faites un large détour pour éviter la zone dangereuse. Une heure plus tard, vous atteignez la rive opposée du lac gelé et vous vous enfoncez dans la forêt qui s'étend au-delà. Rendez-vous au **187**.

56

Vous lancez une Pièce d'Or en l'air avant de la plaquer sur le dos de votre main. Grâce aux pouvoirs exceptionnels dont vous disposez, il vous est aisé de savoir d'ores et déjà que la pièce expose son côté face, mais votre compagnon ne bénéficie pas d'un tel don. « Pile ou face ? » demandez-vous. Il se gratte un moment la tête d'un air pensif avant de répondre. Utilisez la *Table de Hasard*. Si le chiffre que vous tirez est inférieur ou égal à 4, rendez-vous au **117**. S'il est supérieur ou égal à 5, rendez-vous au **298**.

57

En dépit de votre air convaincant et de l'histoire plausible que vous leur servez, les deux gardes Tukodaks ne se laissent pas berner, « Gazim ! » mugit le porteur de lance en frappant. Vous jetez Prarg au sol d'une violente bourrade pour lui éviter de se faire embrocher. Reculant en souplesse de quelques pas, vous parvenez à dégainer votre arme juste à temps pour résister à l'assaut des deux gardes déchaînés.

TUKODAKS HABILETÉ : 38 ENDURANCE : 34

Si vous êtes vainqueur, rendez-vous au **12**.

58

Vous vous écrasez sur une pile de tonneaux de bière qui s'effondre et vous ensevelit. Pour votre salut, vos réflexes félins vous permettent de ne subir aucune blessure sérieuse : vous ne perdez que 1 point d'ENDURANCE. Après maints efforts, vous parvenez à vous extirper de ce chaos de fûts renversés mais, au moment où vous vous apprêtez à regagner la surface, des cris vous incitent à vous immobiliser au pied de la trappe fracassée. Vous entendez, au-dessus de vous, des bruits de lutte provenant de la ruelle et vous ne tardez pas à comprendre que les Drakkarims ont découvert votre compagnon, le Capitaine Prarg, et qu'ils tentent de s'emparer de lui. Rendez-vous au **225**.

59

La porte de bronze de la tour est le seul accès au temple, vous décidez donc de tenter de subjuguer les deux Tukodaks qui y sont postés. A la faveur du crépuscule et avec l'aide de vos prodigieux pouvoirs, vous êtes certain d'y parvenir. Vous dites à Prarg, qui est désarmé, d'attendre à la lisière de la forêt que vous lui fassiez signe de vous rejoindre. Puis, vous vous avancez furtivement vers la tour en utilisant vos pouvoirs de camouflage pour dissimuler votre approche. Dans un premier temps, cette entreprise ne soulève pour vous guère de difficultés, mais les vingt derniers mètres qui vous séparent de la rampe de pierre ont été dégagés des décombres du temple, laissant tout cet espace à découvert... Utilisez la *Table de Hasard*. Si vous avez atteint le rang de Grand Maître Tutélaire, ajoutez 1 au chiffre que vous tirez. Si vous avez atteint le rang de Grand Maître Principal (ou un rang supérieur), ajoutez-y 2. Si le résultat est inférieur ou égal à 5, rendez-vous au **268**. S'il est supérieur ou égal à 6, rendez-vous au **151**.

60

Vous voguez dans l'estuaire de la Bouche de Dakushna lorsque les premières lueurs de l'aube éclairent le ciel. Prarg prend soin de maintenir le bateau au centre du large chenal, où les eaux boueuses sont les plus profondes et les moins propices à un échouage malencontreux sur un obstacle immergé. Bientôt, le sombre chaos des Marais de l'Enfer vous entoure de toutes parts et vous sentez votre courage fléchir, comme s'il était aspiré par quelque invisible vampire. Sur chaque rive, un morne paysage de plates étendues de vase semble se poursuivre jusqu'à l'infini, ponctué de temps à autre par la silhouette tordue d'un arbre mort étranglé par les lianes. Une seule chose parvient à vous apporter un soupçon de réconfort au cœur de cette désolation : le vent souffle, et il a le bon goût de vous pousser dans la bonne direction... En dépit de ce triste paysage, vous progressez à bonne allure jusqu'à la fin de l'après-midi où, brusquement, vous êtes contraints d'amener la toile en voyant le canal se diviser en deux devant vous. Prarg vous assure que cette bifurcation est récente, car elle n'existait pas la dernière fois qu'il est passé à cet endroit. Au bout d'un instant, il reconnaît à regret qu'il ne sait plus quelle direction vous devez prendre. En scrutant les environs, vous apercevez sur la rive gauche, à quelque distance de la berge, un cercle de huttes de boue séchée. Intensifiant votre pouvoir de vision, vous ne parvenez pas à y distinguer le moindre signe de vie. Si vous voulez prendre le chenal de gauche qui vous oblige à passer à proximité de ces huttes, rendez-vous au **144**. Si vous préférez mettre la barre sur le canal de droite et les éviter, rendez-vous au **235**.

61

« Je vais faire une diversion, expliquez-vous. Dès que les gardes et leurs chiens se seront éloignés de la clôture, il vous faudra agir vite. Vous et vos hommes devrez enfoncer les portes et, aussitôt libres, foncer sans perdre une seconde vers l'armurerie. Vous y trouverez tout ce qu'il vous faut pour vous battre. » « Tout cela est bien beau, réplique le Capitaine d'un air sceptique. Mais comment imaginez-vous que nous allons pénétrer dans l'armurerie ? C'est le bâtiment le mieux gardé de la ville ! » « Ne vous inquiétez pas de cela, répondez-vous avec assurance. Je serai à l'intérieur et c'est moi qui vous ferai entrer. » Pendant quelques instants, le Capitaine réfléchit à votre plan. Puis, hochant la tête, il finit par vous dire : « Bien, qu'il en soit ainsi. Je vais prévenir mes hommes. » Sans rien ajouter, il retourne vers ses hommes tandis que vous vous éloignez de la clôture pour regagner la ruelle obscure. Rendez-vous au **305**.

62

Lancé à pleine vitesse, vous voyez les sentinelles qui vous font face se serrer les unes contre les autres et appuyer les hampes de leurs lances contre le sol pour soutenir votre assaut. Mais une bonne décharge de

Foudroiement Psychique a tôt fait d'ébranler leur zèle combatif et elles se dispersent juste avant que vous n'arriviez sur elles. Dans l'instant qui suit, vous vous engouffrez dans la brèche et vous poursuivez votre course au grand galop sur la route qui s'étend de l'autre côté de la barricade. Vous avez ainsi franchi avec succès la ligne de défense intérieure de la ville, mais, comme Prarg vous l'indique en tendant un doigt inquiet, il faut encore atteindre les défenses extérieures de Shugkona... Rendez-vous au **31**.

63

Fonçant au grand galop vers l'échafaud, vous voyez, non sans une certaine jubilation, tous les guerriers Drakkarims s'écarter avec panique devant votre charge furieuse. Ou plutôt, tous sauf un : un colossal sergent des Chevaliers de la Mort, redoutable corps d'élite. Maudissant ses compagnons pour leur lâcheté, il tire son épée et se plante droit devant vous sans se soucier de la lance que vous pointez sur sa poitrine. Dans la seconde qui suit, la pointe de votre arme percute sa

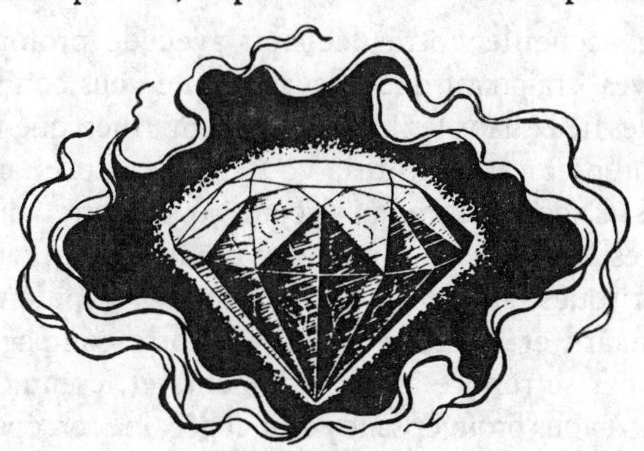

cuirasse d'acier avec une telle violence que vous êtes soulevé de votre selle, le souffle coupé. Utilisez la *Table de Hasard*. Si votre total d'ENDURANCE est supérieur ou égal à 12, ajoutez 2 au chiffre que vous tirez. Si le résultat est inférieur ou égal à 2, rendez-vous au **82**. S'il est supérieur ou égal à 3, rendez-vous au **348**.

64

Vos espérances de découvrir une issue facile s'évanouissent au sommet des marches d'un escalier en ruine. Sur le palier, vous découvrez le cadavre d'un Drakkarim couché sur un monticule de débris qui obstruent la cage de l'escalier qui mène à l'étage supérieur. Un rapide examen vous révèle qu'il a les deux bras cassés : blessé et pris au piège par l'effondrement du temple, ce garde a fini par mourir d'inanition. Si vous voulez inspecter le cadavre de plus près, rendez-vous au **247**. Si vous préférez tenter de dégager les gravats qui bloquent l'escalier, rendez-vous au **347**.

65

Prarg accueille votre décision avec de profondes réserves, craignant que la curiosité ne vous conduise tous les deux dans les bras de l'ennemi. Bien que vous compreniez ses craintes, vous refusez de changer d'avis. Chaque heure qui s'écoule joue contre vous et vous estimez que vous ne devez pas hésiter à prendre des risques si vous voulez trouver rapidement Magnaarn et la Pierre Maudite. Votre compagnon finit par se rendre à vos arguments et, comme s'il tenait à vous prouver sa loyauté, il dégaine son épée et propose de marcher en tête. Tous les sens aux aguets, vous progressez sans bruit derrière lui dans le labyrinthe des arbres. A mesure que vous avancez, vous percevez des coups de hache, des éclats de voix revêches et des tintements de mors de chevaux. Vos soupçons se confirment lorsque, atteignant la lisière d'une clairière, vous découvrez un campement Drakkarim édifié au centre d'un espace récemment déboisé. Trois cabanes de rondins, dont deux ne sont qu'en partie achevées, se dressent au milieu d'un fossé circulaire, derrière lequel est érigée une barrière de pieux aiguisés plantés à hauteur de poitrine. Vous pouvez compter plus d'une centaine de Drakkarims travaillant à l'achèvement de ce poste avancé, plus une cinquantaine de leurs semblables qui montent la garde derrière le mur d'enceinte. Ils semblent bien équipés : ils sont vêtus de fourrures épaisses couvrant des armures de cuir clouté, et leurs armes étincelantes sortent visiblement de la forge. Vous contournez avec prudence la clairière jusqu'à la partie nord du campement. A cet endroit, le mur d'enceinte n'est pas achevé, ce qui vous ménage une vue excellente sur les cabanes. Couché derrière un tronc abattu, vous observez le bâtiment principal du camp. Soudain, la porte s'ouvre à toute volée et un officier Drakkarim en sort d'un pas vigoureux. Abaissant sa visière d'acier sur son visage et serrant son manteau en fourrure de loup autour de ses épaules, il s'en va inspecter le travail de ses hommes. Mais, avant que la porte claque sur son passage, vous avez le temps de remarquer quelque chose qui excite votre curiosité. Rendez-vous au **329**.

65 *Soudain la porte s'ouvre à toute volée et un officier Drakkarim en sort d'un pas vigoureux.*

66

A l'instant où vous lui assenez le coup fatal, la créature explose dans un aveuglant éclair blanc. Lorsque sa lumière s'évanouit, vous constatez qu'il ne subsiste pas la plus petite trace du corps ou de l'esprit du Nadziranim. La disparition subite et prématurée de son serviteur n'échappe pas non plus à Magnaarn et le plonge dans la terreur. Il laisse échapper un hurlement strident et, dans un geste de panique, frappe le sol avec la tête du Sceptre de Nyras. Dans un grondement de fin du monde, le plancher de la pièce se déchire, ouvrant une crevasse béante entre votre ennemi et vous. Aussitôt, Magnaarn s'esquive en hâte dans un passage dissimulé par une tenture. Déterminé à ne pas le laisser fuir, vous prenez votre élan pour sauter par-dessus la fissure qui ne mesure pas moins de dix mètres de large en son point le plus étroit. Utilisez la *Table de Hasard*. Si vous maîtrisez la Grande Discipline Magnakaï de l'Art de la Chasse et si vous avez atteint au moins le rang de Grand Maître Tutélaire, ajoutez 2 au chiffre que vous tirez. Si le résultat est inférieur ou égal à 3, rendez-vous au **128**. S'il est compris entre 4 et 6, rendez-vous au **75**. S'il est supérieur ou égal à 7, rendez-vous au **179.**

67

Anormalement agrandis par la lentille magique, les yeux du garde scrutent l'espace enneigé qui s'étend à l'est de la tour. Aussitôt, vous vous laissez tomber au sol et vous mettez en œuvre vos pouvoirs de camouflage pour tenter d'échapper à son regard perçant. La joue plaquée contre la neige, vous observez le visage du guetteur qui se découpe dans la fente de la meurtrière, puis vous tournez les yeux vers Prarg qui gravit à pas de loup l'escalier qui mène à la porte de la tour, l'épée à la main. Vous le voyez atteindre la porte, l'ouvrir et disparaître furtivement à l'intérieur. Aucun bruit ne vient troubler le silence, mais votre compagnon ressurgit un moment plus tard sur le seuil, rengaine son épée rouge de sang et vous fait signe de courir vers la tour. Rendez-vous au **112**.

68

Sortant du pain et de la viande séchée de votre Sac à Dos, vous les offrez à votre compagnon. Il les accepte avec reconnaissance et va s'accroupir au pied d'un arbre pour les dévorer jusqu'à la dernière miette (n'oubliez pas de rayer ce Repas de votre *Feuille d'Aventure*). Pendant qu'il se rassasie, vous scrutez la forêt qui vous entoure. Depuis une heure, vous avez senti croître en vous la désagréable impression qu'on vous observait, tandis que vos sens détectaient la présence d'une entité hostile venant de l'est. A présent, cette impression s'est changée en certitude et, dès que Prarg a achevé son repas, vous lui proposez de vous remettre en route sans plus attendre. Rendez-vous au **14**.

69

La force du courant et vos vigoureux coups d'aviron vous propulsent vers l'aval et vers les déserteurs Drakkarims. Vous n'êtes plus qu'à cinquante mètres d'eux lorsqu'ils remarquent votre canot et décident d'abandonner provisoirement leur pêche pour un passe-temps moins paisible. Retirant leurs lignes de fortune de l'eau, ils se saisissent en hâte de leurs arcs dans l'intention de vous cribler de flèches dès que vous arriverez à leur portée. Quelques secondes plus tard, vous entendez le chef de la bande grogner un ordre à ses hommes et, dans l'instant qui suit, une pluie de traits s'abat sur votre embarcation lancée à pleine vitesse. Si vous possédez un arc et si vous désirez vous en servir, rendez-vous au **278**. Si vous n'avez pas d'arc, ou si vous ne voulez pas en faire usage, rendez-vous au **158**.

70

Après maintes tentatives infructueuses, vous finissez par renoncer à essayer d'ouvrir cette porte et vous vous enfoncez dans un tunnel voisin qui plonge vers un niveau inférieur du temple. Au terme d'une longue descente, ce passage humide conduit à un caveau dont la seule autre issue semble résider dans un puits vertical qui s'ouvre au centre du plancher. Vous vous approchez avec précaution de l'orifice et vous vous penchez au-dessus de la grille de fer qui l'obture. A votre grande surprise, vous découvrez alors à la faveur des torches qui l'éclairent, le sol d'un autre tunnel courant directement sous le puits, quatre mètres plus bas. Vous soulevez la grille rouillée avec l'aide de Prarg, vous vous suspendez au rebord du trou et vous vous laissez tomber dans le passage, bientôt suivi par votre compagnon. L'aura maléfique qui imprègne le temple est encore plus forte dans ce corridor, et vous avez maintenant la certitude de vous rapprocher à chaque pas de la Pierre Maudite. Vous commenciez à penser que tout cela est un peu trop facile lorsque vous percevez la présence d'un danger imminent ! Utilisez la *Table de Hasard*. Si vous maîtrisez la Grande Discipline de l'Exploration, ajoutez 2 au chiffre que vous tirez. Si le résultat est inférieur ou égal à 2, rendez-vous au **132**. S'il est compris entre 3 et 6, rendez-vous au **205**. S'il est supérieur ou égal à 7, rendez-vous au **92**.

71

Les yeux fixés vers le nord, vous guettez patiemment l'apparition des cavaliers ennemis. Votre attente est brève car, quelques minutes après avoir interprété l'avertissement du Corbeau, vous voyez les silhouettes des premiers éléments d'un peloton Drakkarim se découper sur l'horizon. Amplifiant votre vision, vous découvrez qu'ils appartiennent à l'armée particulière de Magnaarn. Leurs lances sont ornées de flammes figurant l'emblème personnel du Seigneur de la Guerre : un aigle noir tenant dans ses serres deux épées flamboyantes. Ces cavaliers d'avant-garde s'approchent régulièrement, chevauchant droit vers la rivière... Utilisez la *Table de Hasard*. Si le chiffre que vous tirez est inférieur ou égal à 6, rendez-vous au **21**. S'il est supérieur ou égal à 7, rendez-vous au **267**.

72

Basculant en arrière, la bête s'effondre dans la fange et coule à pic. Vous retournez Prarg sur le dos alors que les autres Ciqualis, désormais privés de leur chef, abandonnent le combat et disparaissent aussi vite qu'ils avaient surgi, se laissant glisser avec des bruits visqueux vers leurs froides tanières aquatiques. Le silence revient à la surface, mais vous restez aux aguets un moment, craignant qu'il ne s'agisse d'une ruse. Vous poussez un profond soupir de soulagement quand vous comprenez que ces monstres sont bel et bien partis. Grâce à sa robuste constitution et avec l'aide de vos pouvoirs de guérison, Prarg se remet rapidement de tous les coups qu'il a reçus au cours de son combat avec le chef Ciquali. Quant à votre esquif, il a lui aussi résisté à l'attaque, ce qui vous permet de vous remettre en route sans plus tarder. Aussitôt l'obstacle contourné, vous hissez la voile et, poussés par les vents dominants, vous remontez le canal vers le nord. Cette rencontre mouvementée vous ayant creusé l'estomac, vous devez prendre un Repas pour ne pas perdre 3 points d'ENDURANCE. Rendez-vous ensuite au **322**.

73

Entraînés par le courant, vous progressez à bonne allure. A mesure que la journée s'écoule, le paysage se modifie, passant d'une plaine dénudée à une étendue de basses collines noircies et dévastées par la guerre. Des cabanes en ruine achèvent de se consumer à l'horizon et les champs sont jonchés de cadavres et de carcasses recouverts de neige, leurs membres gelés figés dans d'impossibles positions. L'après-midi touche à sa fin lorsque les contours d'une ville se découpent sur l'horizon. Consultant votre carte, vous constatez qu'il s'agit de Konozod, place fortifiée Drakkarim. Tandis que le courant vous en rapproche, vous intensifiez votre acuité visuelle pour découvrir qu'elle est bâtie sur la rive gauche du Shug. Face à la ville, le fleuve est enjambé par un grand pont de pierre dont les arches sont reliées par un barrage de pieux et de chaînes qui obstrue toute la largeur des eaux. Si vous voulez laisser votre barque dériver vers ce barrage, rendez-vous au **314**. Si vous préférez l'éviter, vous pouvez accoster et poursuivre votre route à pied en vous rendant au **231**.

74

Anormalement agrandis par la lentille magique, les yeux du garde scrutent l'espace enneigé qui s'étend à l'est de la tour. Bien que vous soyez à découvert, à moins de douze mètres de lui, il ne remarque rien. Vous foncez vers votre compagnon dissimulé à la vue de ce guetteur grâce à votre pouvoir Magnakaï et, faisant appel à toute la vélocité de vos jambes, vous rejoignez finalement Prarg sans vous faire repérer. Prarg désigne du doigt une ruelle coincée entre les ruines de deux hangars détruits par le feu près de la tour de guet. D'un bref hochement de tête, vous lui confirmez que vous avez compris ses intentions et, sans qu'une parole ait été échangée, vous vous élancez sur ses talons en direction de l'entrée obscure de la ruelle. Rendez-vous au **178**.

75

Vous franchissez la crevasse d'un bond mais, en atterrissant, vous glissez sur les débris du sol éventré et vous vous entaillez les deux genoux : vous perdez 2 points d'ENDURANCE. Étouffant un grognement de douleur, vous vous dirigez en clopinant vers la tenture derrière

75 *Vous y retrouvez Magnaarn, pressant son dos tordu contre les créneaux couverts de givre.*

laquelle Magnaarn a disparu et vous l'écartez, découvrant une courte volée de marches de pierre. Vous vous hâtez de les gravir jusqu'à la plate-forme d'une tourelle dressée au sommet de la Tour du Palais qui constitue le point le plus élevé de toute la cité de Dhârk. Vous y retrouvez Magnaarn, acculé, pressant son dos tordu contre les créneaux couverts de givre. Vous pouvez sentir qu'il est sur le point de succomber au pouvoir maléfique de la Pierre Maudite, marchant sur un fil étroit entre la vie réelle et celle des morts vivants. Pourtant, bien qu'il se trouve à un cheveu des affres de la damnation éternelle, il parvient à trouver en lui assez de haine pour vous lancer l'ultime défi d'un duel à mort... « Comme il te plaira, Drakkarim, répondez-vous d'une voix impavide. Que le combat commence ! »

SEIGNEUR
DE LA GUERRE
MAGNAARN HABILETÉ : 50 ENDURANCE : 36

Magnaarn est armé du Sceptre de Nyras. Si vous sortez vainqueur de ce combat, rendez-vous au **350**.

76

D'un geste foudroyant, vous encochez une flèche, vous visez en retenant votre souffle et vous tirez au moment même où le monstre, en dépit de son poids, bondit en avant pour vous déchiqueter entre ses griffes. Le trait s'enfonce avec un bruit sourd dans la fourrure de sa poitrine mais, emportée par son élan, la bête continue de fondre sur vous... Utilisez la *Table de Hasard*. Si vous tirez un chiffre inférieur ou égal à 4, rendez-vous au **174**. S'il est supérieur ou égal à 5, rendez-vous au **258**.

77

La flèche passe en sifflant au-dessus de votre tête avant d'aller se ficher dans la boue de l'autre berge. Pendant dix minutes, vous restez couché au fond du canot, regardant défiler le ciel gris tandis que le courant vous emporte vers l'aval. Lorsque vous vous relevez, vous découvrez que les déserteurs Drakkarims sont hors de vue... Votre voyage se poursuit sans autre interruption jusqu'au moment où, vers la fin de l'après-midi, vous distinguez les contours d'une ville se découpant sur l'horizon. Consultant votre carte, vous constatez qu'il s'agit de Konozod, place forte Drakkarim. Tandis que le courant vous en rapproche, vous intensifiez votre acuité visuelle pour découvrir qu'elle est bâtie sur la rive gauche du Shug. Face à la ville, le fleuve est enjambé par un grand pont de pierre dont les arches sont reliées par un barrage de pieux et de chaînes qui obstrue toute la largeur des eaux. Si vous voulez laisser filer votre barque contre ce barrage, rendez-vous au **314**. Si vous préférez l'éviter, vous pouvez accoster et poursuivre votre route à pied (rendez-vous au **231**).

78

Au pied du gouffre, le sol est recouvert d'une épaisse couche de vase noire, visqueuse et traîtresse. Elle est parsemée de fragments de roche, de marbre et d'autres débris du temple tombés des nombreux étages supérieurs. Pris jusqu'aux mollets dans cette boue infecte, vous pataugez dans le lit de la rivière qui s'engouffre à une vitesse effrayante dans le tunnel aux parois de brique. En atteignant l'entrée de ce tunnel, vous découvrez, à votre grand soulagement, qu'il est bordé par une solide chaussée de pierre courant tout au long de ses eaux rugissantes. Du haut de la voûte du tunnel pendent d'énormes grappes fétides de champignons luminescents qui diffusent une lueur verdâtre. Vous avez parcouru quelques centaines de pas le long de la chaussée de pierre lorsque vous trouvez le chemin barré sur toute la largeur du tunnel par une pesante grille de fer. A proximité, une lourde chaîne pend d'un orifice percé dans la voûte arquée. En l'examinant de plus près, vous découvrez qu'elle actionne un treuil dissimulé dans la maçonnerie qui permet de lever et d'abaisser la grille comme une herse. Vous vous apprêtez à manœuvrer la chaîne lorsque, dominant le bruit de l'eau, un rugissement bestial se répercute entre les parois du tunnel. Aussitôt vous lâchez la chaîne pour scruter la pénombre en empoignant votre arme, mais vous vous figez sur place à la vue de l'innommable créature qui s'approche de vous le long de la chaussée ! Si vous maîtrisez la Grande Discipline Magnakaï du Contrôle Animal, rendez-vous au **102**. Sinon, rendez-vous au **318**.

79

En vous éloignant à toutes jambes de la lucarne de la cellule, vous vous rendez compte que ce quartier grouille de soldats ennemis et que vous risquez d'être capturé si vous ne trouvez pas très vite une cachette sûre. Finalement, vous découvrez un refuge à l'autre extrémité de la grand-place. C'est une tour vide qui sert d'entrepôt à grains. Vous y passez une nuit sans sommeil à réfléchir à l'avenir de votre mission et au triste sort de votre compagnon prisonnier. Puisqu'il semble que Magnaarn a découvert la Pierre Maudite, vous devriez agir comme le Capitaine Prarg vous a imploré de le faire : essayer d'atteindre Antah et affronter le Seigneur de la Guerre avant qu'il ait pu faire usage de son terrible pouvoir contre les Lenciens. Mais vous répugnez à abandonner votre guide. Vous avez promis à Prarg de l'aider à s'évader, et un Grand Maître Kaï ne saurait manquer à sa parole. Le Capitaine est considéré comme un espion par les Drakkarims, il ne peut donc attendre aucune pitié de leur part, si tant est que ce mot ait jamais signifié quelque chose pour ces brutes sanguinaires... Peu après la levée du jour, la grand-place devient le théâtre d'une activité qui confirme vos craintes : une section de sapeurs Drakkarims s'y installe et commence à édifier une estrade de bois au centre. Une heure plus tard, quand leur travail est achevé, arrive un chariot bâché. Les sapeurs en déchargent un gros bloc de chêne noir qu'ils installent au milieu de la plate-forme. Les yeux fixés sur ce billot, un frisson d'horreur vous parcourt l'échine lorsque vous devinez à quel sinistre usage il est destiné... Rendez-vous au **118**.

80

« Vous entamerez votre mission à minuit », vous explique le Roi en vous attirant vers une petite fenêtre qui domine le port de Vadera. Il désigne un des nombreux bateaux amarrés à quai, facile à distinguer des autres : c'est le seul à ne pas être un navire de guerre. « Ce cotre de commerce vous conduira avec le Capitaine sur l'île que vous pouvez apercevoir au large. Vous y trouverez une petite embarcation chargée des provisions nécessaires à votre mission. Le Capitaine sait où elle est cachée et c'est lui qui se chargera de vous faire traverser le détroit jusqu'aux Marais de l'Enfer. Ne l'oubliez pas, la réussite de votre mission exige un secret absolu. Ne faites confiance à personne en dehors du Capitaine Prarg. » Après ces ultimes recommandations, le Roi vous avoue qu'il craint que des espions à la solde des Drakkarims ne soient à l'œuvre dans le port et que votre spectaculaire arrivée par les airs ne les ait déjà avertis de votre présence à Vadera. Hélas, il est trop tard pour modifier votre plan et c'est un risque que vous devez accepter de courir !... L'entretien achevé, le Roi Sarnac vous fait escorter jusqu'à une chambre pour vous permettre de prendre quelques heures de repos. Peu avant minuit, vous quittez la citadelle en compagnie du Capitaine Prarg par un passage secret qui débouche directement sur le port. Vous montez discrètement à bord du cotre et vous vous dissimulez entre les ballots de fournitures destinées à la garnison de l'Ile de la Bataille. Au premier coup de minuit, le navire largue les amarres et, après trois heures de traversée sans histoire, il accoste une jetée au sud de l'île. L'équipage du cotre ignorant votre présence à bord, vous guettez une occasion de débarquer sans être vus. Et elle ne tarde pas à se présenter : les marins étant descendus à terre chercher de l'aide pour décharger leur cargaison, vous en profitez pour débarquer furtivement et détaler en direction du nord le long de la plage voisine, courant vers la cachette où votre canot vous attend. Le ciel nocturne n'est troublé par aucun nuage et la lune presque pleine diffuse sur le rivage rocheux un éclat qui vous permet de progresser rapidement en dépit des difficultés du terrain. Si vous maîtrisez la Grande Discipline Magnakaï de l'Exploration, rendez-vous au **202**. Dans le cas contraire, rendez-vous au **159**.

81

Vous ordonnez aux trois Lenciens de se déployer sur une large ligne et d'observer avec soin les signaux que vous leur adresserez. Puis vous escaladez la berge et vous vous dirigez vers les arbres. Ces trois hommes semblent être des éclaireurs expérimentés ; vous n'en éprouvez pas moins quelques réserves quant à leur présence. Ce n'est que par politesse envers le Capitaine Schera que vous avez accepté qu'ils vous accompagnent, mais vous auriez de loin préféré explorer ces bois seul. Vous venez juste de pénétrer sous les arbres quand un Lencien met par mégarde le pied sur une branche morte qui se brise dans un craquement sonore. Dans la seconde qui suit, une volée de flèches jaillit du sous-bois, vous forçant à vous jeter à plat ventre dans la neige... Utilisez la *Table de Hasard*. Si vous maîtrisez la Grande Discipline de l'Exploration, ajoutez 2 au chiffre que vous tirez. Si le résultat est inférieur ou égal à 4, rendez-vous au **226**. S'il est supérieur ou égal à 5, rendez-vous au **199**.

82

Sous la violence du choc, vous videz les étriers et votre crâne heurte le sol si violemment que vous en perdez conscience. Pour votre malheur, jamais vous ne la retrouverez. Car à peine êtes-vous tombé que les Drakkarims se ruent sur vous comme une bande de charognards pour vous massacrer, vous démembrer et vous étriper avec toute la délicatesse qui leur est coutumière... Hélas ! Trois fois hélas ! Votre noble vie et votre périlleuse aventure s'achèvent ici.

83

Décelant la présence d'une puissante force maléfique à proximité de l'endroit où vous vous trouvez, vous avertissez Prarg de ce danger. Vous quittez cette pièce par un couloir qui conduit au pied d'une volée de marches de pierre noire. Arrivés au sommet de cet escalier, vous vous retrouvez dans une salle coiffée d'une coupole elle aussi revêtue d'une roche noire usée par le temps. La plus grande partie des murs est recouverte de tentures de la même teinte macabre, qui est également celle de tout le mobilier. La sensation maléfique est plus forte en ce lieu, si forte que vous en suffoquez presque ! « Elle est ici..., murmurez-vous d'une voix rauque en empoignant votre arme. La Pierre Maudite est ici ! Je sens sa présence. » Soudain, vous percevez un mouvement sur votre gauche et, tournant la tête, vous voyez une boule d'énergie pure foncer droit vers votre visage. Vous parvenez à l'esquiver en plongeant sur le côté, mais la redoutable balle poursuit sa course et va rebondir sur le mur avant de frapper la nuque de Prarg, l'assommant sur le coup ! Rendez-vous au **161**.

84

Alors que vous approchez de la rive est, votre embarcation s'immobilise dans sa course, échouée sur les hauts-fonds. « Bon sang ! grommelle Prarg en regardant par-dessus le plat-bord. J'espérais qu'on arriverait au moins à garder les pieds au sec ! » Fouillant avec lassitude dans les fournitures rangées dans le bateau, il finit par en extirper un pesant cordage qu'il attache à la proue tandis que vous rangez les avirons. Puis vous vous laissez glisser tous deux jusqu'aux genoux dans l'eau glacée et la vase pour haler votre esquif jusqu'à la rive. Vous atteignez enfin la terre ferme et vous établissez votre camp au sommet d'une petite butte qui offre une vue dégagée sur le marécage. Le canot retourné devient votre abri, mais vous savez qu'il ne vous protégera pas, hélas, des créatures qui hantent ces marais ! Prarg s'offre à prendre le premier tour de garde et, tombant de fatigue, vous acceptez de bon cœur. Mais il vous semble que vous avez à peine fermé les yeux lorsqu'il vous tire du sommeil d'une voix étouffée et pleine d'effroi : « Éveillez-vous, messire, je crois que nous avons de la visite ! » Vous bondissez sur vos pieds, empoignant votre arme d'un geste instinctif et sondant les environs afin de localiser la menace. Trois énormes reptiles écailleux émergent à quelque distance d'un lit de joncs chargés de glace. Du museau hérissé de cornes à l'extrémité de leur puissante queue barbelée, ces monstres ne mesurent pas moins de cinq mètres et, en dépit de leur poids formidable, ils se déplacent avec une souplesse stupéfiante. « Des Gorodons ! s'exclame Prarg avec horreur. Vite, messire, nous devons décamper tant que nous le pouvons encore ! » Sans perdre une seconde, vous redressez le bateau et vous commencez à le traîner dans la vase en direction de la rivière. Malgré vos efforts, vous avez l'impression de progresser avec une lenteur désespérante et la peur qui monte en vous se change en terreur lorsque les Gorodons lancés à votre poursuite laissent éclater un chœur de grognements coassants. Ces prédateurs sont affamés et la perspective de se régaler de deux grandes créatures à sang chaud les remplit d'une sauvage frénésie... Utilisez la *Table de Hasard*. Si le chiffre que vous tirez est inférieur ou égal à 4, rendez-vous au **279**. S'il est supérieur ou égal à 5, rendez-vous au **51**.

85

Vous voyez avec angoisse l'officier Drakkarim s'approcher du billot. Il s'arrête à côté de l'infortuné Capitaine et fait signe aux geôliers de s'écarter pour le laisser procéder à l'exécution. Puis, sortant de sa poche une pierre huilée, le visage déformé par un sourire torve, il entreprend d'aiguiser la lame de la grande hache avec une lenteur sadique. Si vous maîtrisez la Grande Discipline de l'Alchimie Kaï, rendez-vous au **136**. Si ce n'est pas le cas, rendez-vous au **253**.

86

Prononçant en hâte la formule du sortilège du Bouclier Invisible, vous décrivez un cercle dans l'air avec la paume de la main gauche. Mais avez-vous été assez rapide pour dévier la flèche qui fond sur vous ? Utilisez la *Table de Hasard*. Si votre total d'ENDURANCE est supérieur ou égal à 20, ajoutez 2 au chiffre que vous tirez. Si le résultat est inférieur ou égal à 4, rendez-vous au **29**. S'il est supérieur ou égal à 5, rendez-vous au **287**.

87

Le cheval tente avec courage de franchir la tranchée, mais il est trop épuisé pour parvenir à sauter. Ses antérieurs se dérobent à l'approche de l'obstacle et Prarg et vous êtes projetés tête la première dans la tranchée. Par chance, la chute est amortie par l'épaisse couche de neige et vous vous relevez tous deux indemnes. Rendez-vous au **276**.

88

Le dîner achevé, vous vous retrouvez confrontés à une question des plus délicates : qui va prendre le premier tour de garde ? Vous êtes aussi fatigués l'un que l'autre et, après avoir ramé une journée entière, vous n'êtes pas enthousiaste à la perspective d'être obligé de tenter de garder les yeux ouverts pendant quatre heures de plus. Si vous offrez de prendre le premier tour de garde, rendez-vous au **309**. Si vous préférez régler la question à pile ou face, rendez-vous au **56**.

89

Vous vous approchez de la porte pour examiner avec soin la serrure à combinaison, persuadé que votre habileté et votre expérience vous permettront d'en venir à bout. Étudiez la suite de nombres ci-dessous. Si vous pensez avoir deviné le nombre manquant, rendez-vous au paragraphe qui porte ce numéro.

Si votre réponse n'est pas correcte ou si vous ne parvenez pas à résoudre cette énigme, rendez-vous au **30**.

90

Aucun incident ne trouble votre nuit et vous vous éveillez dans une aube ensoleillée, ragaillardi par de longues heures de sommeil pour une fois ininterrompu. Prarg, lui aussi, a bien dormi et il se montre impatient de poursuivre le voyage vers Shugkona. Une nouvelle couche de neige est tombée pendant la nuit et, en descendant de l'arbre, vous découvrez plusieurs empreintes de pas à proximité. Les pouvoirs que vous offre la Grande Discipline de l'Exploration vous permettent de déterminer qu'elles ont moins d'une heure et proviennent du passage d'une patrouille Drakkarim qui se dirige vers le nord. Vous vous mettez en route en prenant la direction du nord-est, longeant un torrent gelé qui serpente à travers la forêt, tel un ruban de cristal. Préservé des patrouilles Drakkarims par les effets de la chance et de vos pouvoirs Kaï réunis, vous parvenez aux environs de midi en vue de Shugkona. Dissimulés sous une passerelle de bois qui franchit le torrent, vous pouvez observer les abords de cette cité Drakkarim puissamment fortifiée. Des tranchées doublées de palissades protègent l'essentiel de l'enceinte, précédées de fosses garnies de pieux effilés destinés à briser les charges de cavalerie. Des barricades de chariots blindés sont placées en travers des quatre routes principales qui y pénètrent et tout ce dispositif est surveillé par des escadrons de Drakkarims et de mercenaires Hammerlandais. Cependant, aussi impressionnante qu'elle soit, il ne s'agit que d'une première ligne de défense, au-delà de laquelle se trouvent d'autres tranchées garnies de pieux pointus et flanquées de tours de guet qui, pour beaucoup, portent les récents stigmates de la guerre. La ville proprement dite s'étend derrière ce second cercle défensif. Elle est constituée de bâtiments de bois et, au fil des ans, la plupart des constructions périphériques ont été réduites en cendres par les bombes incendiaires Lenciennes. Prarg vous apprend que Magnaarn a installé son quartier général au centre exact de la cité, dans une haute tour qui permet de surveiller toute la ville et ses lignes de défenses. A première vue, les défenses en question paraissent inexpugnables, mais vous remarquez deux emplacements où, avec un peu de chance, vous pourriez vous faufiler dans la ville sans vous faire remarquer. Le premier se trouve à proximité de la route de l'est où un vaste espace dégagé est surveillé par une seule tour de guet. Quant au second, situé vers le sud, il s'agit d'une section du même périmètre extérieur qui comporte une seule ligne de tranchées. Si vous décidez de vous introduire dans Shugkona par l'est, rendez-vous au **317**. Si vous préférez y pénétrer par le sud, rendez-vous au **142**.

91

Un instant, vous contemplez en frissonnant le corps inerte du monstre puis, rengainant votre épée, vous reprenez votre pénible tâche de déblaiement. En peu de temps, vous parvenez à dégager assez de débris pour ménager une brèche qui vous permet de vous faufiler jusqu'à l'escalier suivant. Dès que vous y êtes parvenu, vous prenez soin de reboucher le passage derrière vous avant de grimper les marches. Rendez-vous au **175**.

92

Votre ouïe sensible détecte un léger bruit de pierre frottant contre la pierre. Vous remarquez alors qu'une rangée de meurtrières commence à s'ouvrir à hauteur de poitrine dans les deux murs du passage, révélant des pointes de lances aiguisées et enduites de poison. « A plat ventre ! » hurlez-vous en plongeant vers le sol. Un instant plus tard, une double volée de traits jaillit des murs et se fracasse contre la pierre avant de retomber en morceaux sur le sol. Vous vous relevez tous deux sans une égratignure, sauvés par votre présence d'esprit. Rendez-vous au **325**.

93

« Suivez-moi ! » hurle Prarg et, avant que vous ayez pu le retenir, il bondit sur ses pieds et part en courant. Vous vous élancez à sa suite, poursuivi par les cris furieux des sentinelles : « Halte ! Halte ou nous tirons ! » Vous entendez vibrer des cordes d'arc et deux flèches vont se briser sur les rochers. Vous faites appel à votre pouvoir Magnakaï d'Invisibilité pour vous protéger des tirs suivants, mais ses effets ne peuvent s'étendre jusqu'au Capitaine Prarg qui court à moins d'un mètre de vous. Soudain, vos sens aiguisés perçoivent une nouvelle menace, attirant votre regard vers une crête rocheuse distante de moins de trente mètres de la plage, sur laquelle se dressent deux autres Lenciens armés d'arbalètes. « Attention ! » hurlez-vous à Prarg, mais les deux soldats vous ont déjà couchés en joue... Utilisez la *Table de Hasard.* Si vous tirez un 0, rendez-vous au **291**. Si vous obtenez entre 1 et 3, rendez-vous au **13**. Si vous obtenez 4 ou plus, rendez-vous au **171**.

94

Après avoir pris une profonde inspiration, vous sautez dans l'eau glacée. Au moment où vous disparaissez sous la surface, le froid engourdit brutalement vos sens. Mais vous faites appel à la Discipline Magnakaï du Nexus pour protéger votre corps, et, accompagnée d'agréables picotements, une chaleur salutaire se répand dans tous vos membres. Grâce à votre pouvoir de vision nocturne, vous repérez Prarg dans l'eau obscure par la chaleur que dégage son corps. Voyant qu'il est coincé sous une arête de glace déchiquetée, vous empoignez sa tunique pour le dégager. Mais vous vous sentez tiré en arrière. Quelque chose vous emprisonne les jambes ! Si vous maîtrisez la Grande Discipline de la Magie des Anciens, rendez-vous au **110**. Sinon, rendez-vous au **326**.

95

Galvanisés par votre exemple, les Lenciens et leurs alliés de la Ligue d'Ilion repoussent les Zagganozods restants et resserrent les rangs jusqu'à ce que le carré soit à nouveau sans faille. Épuisé, l'ennemi finit par tourner bride pour battre piteusement en retraite sous les hourras victorieux de leurs adversaires. C'est alors que l'écho d'un fracas assourdissant venu de Dhârk roule à travers la plaine, un formidable coup de tonnerre qui fait trembler le sol jusque sous vos pieds. Tournant votre regard vers la cité, vous constatez que la bataille ne cesse de croître en intensité et qu'elle prend maintenant une tournure sinistre. Vous pouvez voir de fulgurants traits de feu magique danser le long des remparts, engloutissant les combattants des deux bords. Vous reconnaissez là l'œuvre de Magnaarn et de ses diaboliques alliés Nadziranims. Puis, à travers les fumées de la bataille, vous voyez un étendard Lencien se dresser fièrement au milieu du carnage qui ensanglante la plaine côtière au sud de la cité. A cet endroit, les Croisés sont parvenus à tourner l'ennemi par le flanc et ils s'enfoncent avec furie dans son centre affaibli. A la vue de ce drapeau, le Baron Maquin et le Capitaine Schera décident, sous les acclamations de leurs hommes, d'avancer pour soutenir la vaillante attaque des Croisés. Vous leur souhaitez à tous deux une heureuse fortune car le temps est venu de vous séparer de ces braves. Leur destin les attend sur le champ de bataille, mais vous trouverez le vôtre à l'intérieur des murailles de Dhârk où, si vous voulez mener à bien votre quête, vous devrez affronter Magnaarn... Les adieux achevés, vous les regardez un moment s'éloigner le long de la plaine vers le lointain champ de bataille à la tête de leurs soldats. Puis vous vous mettez en route vers le hameau qui se trouve à mi-distance des portes de la cité. Rendez-vous au **154**.

96

Vous vous glissez dans les écuries par une porte latérale et vous trouvez rapidement une cachette dans l'une des innombrables stalles garnies de paille. Vous y découvrez également les objets suivants :

Une lanterne
Une corde
Un poignard
De la nourriture pour 2 Repas
Un sablier

Si vous décidez d'emporter un ou plusieurs de ces objets, n'oubliez pas de modifier en conséquence votre *Feuille d'Aventure*. A plusieurs reprises, des escouades de Drakkarims pénètrent dans le bâtiment pour le fouiller, mais aucune ne parvient à vous dénicher. Pendant que vous vous dissimulez aux yeux des patrouilles de recherche, vous ne pouvez vous empêcher de songer au sort funeste de votre compagnon et vous sentez croître votre inquiétude à son égard. En outre, vous redoutez qu'il n'en vienne, sous la torture, à révéler votre présence, votre identité et les raisons qui vous ont amené à pénétrer dans la ville. Bien décidé à empêcher une telle catastrophe, peu avant minuit, vous vous glissez hors de votre cachette et vous vous dirigez d'un pas furtif vers la prison de Shugkona. Rendez-vous au **260**.

97

Schera réfléchit un instant à votre question : « Je suis navré, mais je ne sais rien. Tant d'hommes ont été perdus, tués ou capturés, depuis que Magnaarn est passé à l'attaque. Je connais cet officier de réputation, bien que nous ne nous soyons jamais rencontrés, et j'ai entendu dire que c'est un homme excellent et courageux. Tout ce que je puis vous dire de plus, c'est que je ne l'ai jamais vu ici, à Konozod. » Rendez-vous au **236**.

98

Cette paroi sèche et friable est la plus traîtresse que vous ayez jamais tenté de gravir, mais elle ne parvient pas à vous rebuter. Votre expérience de l'escalade et la souplesse naturelle de vos mouvements vous évitent la moindre faute et vous parvenez à vous hisser sur la plate-forme. Rendez-vous au **146**.

99

Le cerveau foudroyé par votre attaque psychique, le Chien de Guerre pousse un hurlement de douleur et de terreur. Aussitôt, les autres chiens de la meute se figent sur place. Vous sentez qu'ils sont déchirés entre le désir de satisfaire leur faim dévorante et leur instinct de survie. En fin de compte, c'est ce dernier qui l'emporte et, l'un après l'autre, ils tournent les talons et détalent dans la forêt. Certain que les Akataz ne reviendront pas cette nuit, vous regagnez le bateau pour dormir un peu tandis que Prarg prend son tour de garde. Rendez-vous au **215**.

100

Dissimulés à la lisière des arbres, vous observez le temple avec soin, enregistrant chaque détail, fouillant du regard chaque centimètre des murs lépreux à la recherche d'un moyen d'entrer sans être vu. La plus grande part de l'antique édifice n'est plus que ruines, mais l'imposante tour trapue qui se dresse au centre est toujours intacte. Ses parois sont couvertes d'un réseau de motifs complexes dont l'achèvement a dû nécessiter des siècles. Et, si vous ne pouvez vous empêcher d'admirer l'art consommé avec lequel ces ornements ont été gravés, vous les regardez néanmoins avec horreur car ils glorifient des pratiques maléfiques. Les ruines sont désertes. Un large plan incliné de pierre conduit à une gigantesque porte ménagée au pied de la tour. Les deux battants de bronze sont ouverts, mais deux Tukodaks de la garde personnelle de Magnaarn y sont postés. Si vous maîtrisez la Grande Discipline de l'Invisibilité, rendez-vous au **223**. Si ce n'est pas le cas, rendez-vous au **59**.

101

Vous finissez par renoncer à vous acharner sur cette serrure et vous rebroussez chemin vers la bifurcation. A la suite de Prarg, vous vous enfoncez dans le couloir opposé qui décrit bientôt un angle droit. Avant que vous ayez pu le retenir, le Capitaine franchit cet angle sans prendre de précautions... et se retrouve nez à nez avec un énorme sergent des Chevaliers de la Mort Drakkarims ! Laissant échapper un épouvantable juron dont l'écho se répercute longuement sur les parois de l'étroit corridor, le guerrier dégaine son épée et se rue sur votre imprudent compagnon. Si vous avez un are et si vous désirez l'utiliser, rendez-vous au **241**. Si vous n'en possédez pas, ou si vous préférez ne pas vous en servir, rendez-vous au **113**.

102

Une haute créature contrefaite s'avance, couverte d'une fourrure infecte et pourvue d'un ventre proéminent et décharné qui balaie le sol à chacun de ses pas. Au bout de ses interminables bras nerveux, la bête serre dans chacune de ses énormes mains un long silex taillé en forme de poignard et, comme elle se rapproche de vous, la gueule béante, vous pouvez voir une bave brunâtre bouillonner entre ses mâchoires et s'écouler entre ses crocs jaunis. Vous déployez votre pouvoir Kaï pour ordonner mentalement à cette chose de s'arrêter et, pendant quelques secondes, elle obéit. Mais vous sentez qu'elle est poussée par une faim atroce, une faim qui pourrait se révéler plus puissante que votre maîtrise Magnakaï... Utilisez la *Table de Hasard*. Ajoutez au chiffre que vous tirez le nombre de rangs Magnakaï que vous êtes parvenu à atteindre au-dessus de celui de Grand Maître Kaï. Si le résultat est

102 *Une haute créature contrefaite s'avance, couverte d'une fourrure infecte.*

inférieur ou égal à 5, rendez-vous au **218**. S'il est supérieur ou égal à 6, rendez-vous au **119**.

103

La lune disparaît derrière une épaisse couche de nuages chargés de neige et le soir laisse place à une totale obscurité. Néanmoins, vous n'éprouvez guère de difficultés à continuer de suivre les traces de la troupe de Magnaarn à travers la vaste plaine grâce à vos pouvoirs de vision nocturne. Peu avant minuit, vous atteignez la rive du Shug, non loin d'un groupe de cabanes de rondins rassemblées autour de l'ancien embarcadère d'un bac. Les traces de votre ennemi, vieilles d'une semaine, vous conduisent au centre de ce poste désert. Rendez-vous au **310**.

104

Vous vous concentrez sur la masse de végétation flottante en invoquant le sortilège de Détection du Mal et vous percevez la présence de plusieurs créatures tapies en embuscade sous l'enchevêtrement d'herbes et parmi les halliers humides de la rive. Vous prévenez Prarg du danger et il a la sagesse de prendre votre avertissement au sérieux. Il vous conseille d'amener la voile pour éviter que votre canot continue de se rapprocher de l'obstacle. Cependant, vous dérivez inexorablement vers la masse d'herbes. Si vous voulez empoigner les avirons pour tenter d'échapper à cette embuscade probable, rendez-vous au **303**. Si vous décidez de laisser le bateau dériver vers l'obstacle, rendez-vous au **343**.

105

Pleins de respect pour vos pouvoirs et votre instinct Kaï, les deux commandants ordonnent aussitôt à leurs hommes de retourner s'embusquer sur la rive. Dès que vous êtes en position, vous gardez les yeux fixés sur le nord, guettant l'apparition des cavaliers ennemis. Votre attente est de courte durée car, au bout de quelques minutes, les silhouettes des premiers éléments d'un peloton Drakkarim se découpent sur l'horizon. Amplifiant votre vision, vous découvrez qu'ils appartiennent à l'armée de Magnaarn. Leurs lances portent des flammes figurant l'emblème du Seigneur de la Guerre : un aigle noir tenant dans ses serres deux épées flamboyantes. Ces cavaliers d'avant-garde chevauchent droit vers la rivière... Utilisez la *Table de Hasard*. Si le chiffre que vous tirez est impair, rendez-vous au **21**. S'il est pair, rendez-vous au **267**.

106

Vous apercevez au loin un barrage improvisé constitué de plusieurs arbres abattus et jetés en travers de la route. De nombreux Drakkarims en armure sont postés derrière l'obstacle, impatients de vous voir apparaître. Aussitôt, vous quittez la route pour vous enfoncer sous les arbres. Malheureusement, la forêt est trop touffue pour vous permettre d'y progresser à cheval, aussi abandonnez-vous à regret votre brave jument pour vous y enfoncer à pied. Guidé par votre instinct et votre pouvoir d'exploration, vous parcourez plus de six kilomètres vers l'ouest avant de voir les arbres s'éclaircir. Et vous émergez de la forêt pour découvrir un spectacle grandiose. Rendez-vous au **192**.

107

Vous atteignez le Roc de l'Ours peu avant le soir. Ce point de repère est un bloc de granite sculpté par les éléments en forme d'ours gigantesque dressé sur les pattes arrière et écartant les pattes avant. Il s'élève sur la rive droite de la Gourneni et domine une anse abritée. C'est là que vous accostez et que vous tirez le bateau au sec avant de dresser votre bivouac. Après avoir dîné, vous discutez de la prochaine étape de votre mission. Au matin, vous dissimulerez le canot avant de vous mettre en route à pied vers Shugkona, quartier général de Magnaarn. Une centaine de kilomètres de bois touffus vous sépare de cette cité et, si tout se passe bien, vous estimez qu'il vous faudra au moins deux jours pour l'atteindre. Si vous maîtrisez la Grande Discipline du Contrôle Animal et si vous avez atteint au moins le rang de Grand Maître Tutélaire, rendez-vous au **129**. Si vous ne maîtrisez pas cette Grande Discipline ou si vous n'avez pas le rang exigé, rendez-vous au **88**.

108

Aplati au fond du canot, vous épiez les voix brutales des Drakkarims à mesure que vous vous approchez de leur position. Vous entendez des bruits d'éclaboussures puis un choc sourd et la pointe rouillée d'une flèche traverse le flanc de l'embarcation avant de s'immobiliser à quelques centimètres de votre visage ! En entendant les rires gras des Drakkarims, vous comprenez qu'ils s'exercent simplement au tir en prenant votre bateau pour cible, sans savoir que vous vous y cachez. Entraîné par le courant, vous les dépassez bientôt. Troquant les arcs contre des lignes de pêche improvisées, ils reprennent leur première activité. Rendez-vous au **251**.

109

Bien qu'affaibli par votre incarcération, votre maîtrise du Nexus vous confère encore assez de pouvoir pour neutraliser les effets des vapeurs nocives. Vos idées s'éclaircissent et vos forces reviennent, vous vous approchez de la porte circulaire et vous examinez de plus près sa curieuse serrure octogonale. Elle est pourvue au centre d'une entrée de clef entourée de huit cases, toutes gravées d'un nombre, sauf une. Votre expérience vous indique qu'il s'agit là d'une double serrure combinée, qu'on peut ouvrir soit à l'aide d'une clef, soit en tapotant sur la case vierge le nombre qui manque dans la série. Si vous possédez une Clef Verte, rendez-vous au **304**. Sinon, rendez-vous au **89**.

110

Vous regardez vers le fond en utilisant votre vision infrarouge et vous découvrez les contours d'une sorte de gigantesque Limace amphibie qui se balance à moins de deux mètres sous vos pieds. Deux tentacules sortent d'une poche membraneuse placée sous l'œil unique du monstre et viennent s'enrouler comme des cordes autour de vos jambes. Vous tentez de vous dégager en lançant de furieuses ruades, mais les tentacules ne font que resserrer leur étreinte, vous attirant lentement vers les profondeurs du lac. Vous énoncez mentalement le sortilège de Choc que les Anciens Mages vous ont enseigné en projetant la main droite vers la chose. Aussitôt, un coup de tonnerre retentit dans votre esprit, amplifié par le milieu liquide, et le monstre vous relâche avant de plonger vers sa tanière, laissant s'écouler une épaisse traînée de sang par les orifices des organes qui lui tiennent lieu d'oreilles. Libre de vos mouvements, vous empoignez la tunique de Prarg et vous vous hâtez de le tirer vers le trou de la couche de glace. Rendez-vous au **313**.

111

La corde de votre arc se détend avec un bruit sec et la flèche file vers la tête lisse du Ciquali. Elle le frappe au-dessus de l'œil gauche et ricoche sur l'os de son front bombé, mais la violence du choc projette la bête dans les eaux noires qui l'engloutissent aussitôt. Remettant votre arc à l'épaule, vous vous précipitez au secours de Prarg qui gît à plat ventre, presque inconscient, le visage dans l'eau qui clapote au fond du bateau. Mais, au moment où vous vous penchez sur lui pour le retourner sur le dos, deux paires de mains squameuses s'agrippent à votre manteau. Avec un grondement furieux, vous faites volte-face et vous dégainez votre arme d'un geste foudroyant pour affronter vos assaillants : deux autres Ciqualis à la peau décorée de cicatrices rituelles qui les désignent comme des guerriers de leur tribu. Devant la rapidité de votre réaction, ils battent un instant en retraite. Mais ils se ressaisissent et, ramassés sur eux-mêmes, ils font face en vous fixant de leurs yeux globuleux tandis que les hideuses poches de leur gorge membraneuse se gonflent et se vident de plus en plus vite. Et soudain, poussant un cri strident, les deux monstres brandissent leurs mains griffues et vous sautent à la gorge...

CIQUALIS HABILETÉ : 30 ENDURANCE : 27

Si vous sortez vainqueur de ce combat, rendez-vous au **349**.

112

D'un bond, vous vous relevez et vous vous élancez vers la tour pour retrouver Prarg au pied de l'escalier de bois. « Ce garde ne donnera plus jamais l'alarme..., dit-il avec un sourire sinistre en désignant la porte de la tour derrière lui. Et les autres ne risquent pas non plus de le trouver trop tôt. » Puis il désigne l'entrée d'une ruelle sombre qui s'ouvre entre les carcasses de deux hangars carbonisés et vous propose de prendre ce chemin. « Passez devant, Capitaine », répondez-vous avec un hochement de tête approbateur, et vous vous élancez à sa suite vers la ruelle. Rendez-vous au **178**.

113

Dégainant votre arme, vous franchissez l'angle du corridor et vous foncez droit sur le Chevalier de la Mort, prêt à frapper. L'énorme guerrier accueille votre apparition par un grand éclat de rire et pare avec assurance votre premier coup avant de répliquer en vous visant à la gorge...

CHEVALIER
DE LA MORT HABILETÉ : 33 ENDURANCE : 34

Si vous venez à bout de cette brute, rendez-vous au **191**.

114

En dépit de la traîtrise de la paroi, vos talents de grimpeur consommé liés à l'agilité naturelle de vos mouvements vous évitent de commettre la moindre faute au cours de votre périlleuse descente, et vous parvenez finalement sain et sauf au fond du gouffre. Rendez-vous au **78**.

115

Parvenu dans l'écurie, vous y découvrez deux chevaux. L'un n'est qu'une pauvre vieille carne boiteuse, mais le second, une jeune jument gris souris, est solidement bâti et semble en pleine forme. A l'aide de vos pouvoirs de Contrôle Animal, vous leur imposez le calme et vous menez la jument hors de sa stalle. En sortant de l'écurie, vous voyez Prarg vous adresser de muettes grimaces en pointant un index frénétique vers la crête de la colline où un détachement de cavalerie Drakkarim vient de faire son apparition, descendant la route vers le pont. Sans perdre une seconde, vous vous hissez en selle et vous aidez votre compagnon à monter en croupe. A cet instant, les cavaliers ennemis vous aperçoivent et font retentir une sonnerie de cor. Presque aussitôt, un vieux Drakkarim sort sur le seuil de la cabane, armé d'un mousquet de Bor qu'il s'efforce de pointer sur vous d'un bras tremblotant en vous ordonnant de vous arrêter. Comme vous refusez d'obéir et que vous talonnez au contraire votre monture, il presse la détente... Utilisez la *Table de Hasard*. Si le chiffre que vous tirez est inférieur ou égal à 2, rendez-vous au **288**. S'il est compris entre 3 et 6, rendez-vous au **145**. S'il est supérieur ou égal à 7, rendez-vous au **342**.

116

Le Drakkarim qui porte le sac semble inquiet. Son compagnon paraît lui aussi sur ses gardes. Alors que vous vous glissez vers le porche, il vous aperçoit et vous ordonne de vous arrêter sur-le-champ. Comme vous vous gardez de lui obéir, ils dégainent tous deux et se ruent sur vous, bien décidés à vous tailler en pièces...

DRAKKARIMS HABILETÉ : 30 ENDURANCE : 32

Si vous parvenez à exterminer ces deux soudards, rendez-vous au **245**.

117

Soulevant la main, vous dévoilez le visage altier du Roi Ulnar V gravé sur le côté face de la pièce. « Bravo, Prarg, c'est vous qui gagnez, reconnaissez-vous, beau joueur, avant de remettre la Pièce d'Or dans votre bourse. Allez dormir un peu, je vais prendre le premier tour de garde. Une longue marche nous attend demain et nous aurons besoin de toutes nos forces. » Prarg laisse échapper un soupir de soulagement et, pendant qu'il va s'allonger aussi confortablement que possible dans le bateau, vous commencez à escalader le Roc de l'Ours. Parvenu au sommet, vous vous enveloppez dans votre manteau et vous entamez votre veille solitaire. Pendant quatre heures, vous restez stoïquement assis sur ce rocher balayé par les vents, scrutant la forêt à travers un rideau de neige. Malgré la fatigue, vous vous forcez à ne pas relâcher votre vigilance et vous récoltez les fruits de votre discipline de fer lorsque, peu avant minuit, vous détectez des mouvements à la lisière des bois. Vos sens aiguisés de Grand Maître Kaï ne tardent pas à détecter une odeur animale dans l'air froid. Une odeur que vous connaissez bien : celle de l'Akataz ! Rendez-vous au **163**.

118

Le bloc de chêne n'est autre qu'un billot. Sa surface est couverte d'entailles laissées par la lame d'une lourde hache, et ses côtés sont noircis par le sang de centaines de prisonniers Lenciens qui y ont laissé leur tête. Soudain, vos pensées sont interrompues par un bruit de pas cadencés qui attire votre regard vers l'avenue qui longe

118 *On force le Capitaine Prarg à s'agenouiller devant le billot tandis qu'un officier lit la sentence.*

le quartier général de Magnaarn, où apparaît un régiment de Drakkarims. Ils pénètrent sur la place et se déploient sur trois rangs face à l'échafaud. Puis, tirée par une paire de bœufs faméliques, une charrette émerge de la ruelle jouxtant la prison. Les mains liées dans le dos, le Capitaine Prarg se tient debout à l'arrière du véhicule. Malgré les cahots, il se dresse au garde-à-vous, tête haute, bravant avec fierté sa mort imminente. Le chariot s'immobilise derrière l'échafaud et le Capitaine y est hissé sans ménagement par trois geôliers. Puis on le force à s'agenouiller devant le billot tandis qu'un officier Drakkarim lit la sentence : la condamnation à mort de votre compagnon pour espionnage. Sa lecture achevée, il saisit une grande hache des mains d'un des geôliers et se dirige à pas lents vers le billot avec l'intention de procéder lui-même à l'exécution. Si vous avez un arc et si vous désirez l'utiliser, rendez-vous au **270**. Si vous n'en disposez pas ou si vous ne voulez pas vous en servir, rendez-vous au **85**.

119

Soudain, l'expression de sauvagerie qui se lit sur le faciès de la bête se mue en terreur. Lâchant ses poignards de silex, elle pivote sur les talons et détale le long du tunnel en glapissant d'effroi. Vous poussez un soupir de soulagement en constatant que votre pouvoir Magnakaï s'est montré assez puissant pour étouffer les instincts sanguinaires de ce monstre et le soumettre à votre volonté. Certain qu'il n'est pas près de revenir s'y frotter, vous empoignez la lourde chaîne et vous relevez la grille de quelques dizaines de centimètres, juste assez pour vous glisser sous les barreaux en vous courbant en deux, avant de poursuivre votre route le long du tunnel. Au bout de quelques centaines de mètres, le passage tourne vers le sud. A cet endroit, une volée de marches glissantes monte de la chaussée vers un obscur passage voûté. Si vous désirez gravir cet escalier, rendez-vous au **33**. Si vous préférez continuer de suivre la chaussée, rendez-vous au **274**.

120

D'un coup bien ajusté, vous tuez la Reine des Guêpes et, sur-le-champ, ce qui reste de l'essaim rompt le combat. S'engouffrant dans l'ouverture du centre de la voûte, les insectes remontent le puits dans un épais bourdonnement avant de disparaître dans le ciel, bientôt suivis par les autres membres de la colonie. Une fois sûr que tous les nids sont bien vides, vous vous hissez dans le conduit de la cheminée en vous suspendant aux irrégularités des briques grossières qui tapissent la paroi. Vous remontez ainsi jusqu'au sommet. Rendez-vous au **300**.

121

Faisant scintiller le pâle soleil d'hiver sur ses crocs en lame de sabre, la bête pousse un rugissement et se rue sur vous au galop. Vous bondissez en arrière et vous parvenez à dégainer votre arme juste à temps pour soutenir son assaut !

MAHAW HABILETÉ : 43 ENDURANCE : 50

Cette créature est insensible à la Puissance Psychique et peu sensible au Foudroiement Psychique. Si vous choisissez de faire appel à la Grande Discipline du Foudroiement Psychique, n'ajoutez que 1 point à votre HABILETÉ. Si vous maîtrisez la Grande Discipline de l'Alchimie Kaï et si vous avez atteint le rang de Grand Maître Principal (ou un rang supérieur), vous pouvez augmenter vos totaux d'HABILETÉ et d'ENDURANCE de 5 points pour la durée du combat. Si vous êtes vainqueur, rendez-vous au **24**.

122

Avec précaution, vous continuez à suivre le tunnel pendant cinquante mètres et, après un tournant... vous vous retrouvez face à un être de cauchemar ! Une énorme silhouette contrefaite émerge de la pénombre et s'avance en vous fixant avec des yeux rouges affamés. La bête est couverte d'une fourrure infecte qui luit dans la lumière verdâtre du tunnel et elle marche en tendant en avant deux interminables bras, à la façon d'un somnambule. Mais elle ne dort pas car chacune de ses énormes mains étreint un long silex taillé en forme de poignard. Alors que le monstre force l'allure, son ventre proéminent se met à balayer le sol. Une bave brunâtre bouillonne entre ses mâchoires béantes et s'écoule entre ses crocs jaunis. Poussant un cri déchirant, la créature se précipite sur vous en fendant l'air de ses poignards primitifs, avide de meurtre. Vous reculez de quelques pas et vous vous mettez en position de soutenir son assaut.

CHASSEUR
SOUTERRAIN HABILETÉ : 43 ENDURANCE : 48

Si vous sortez vainqueur de ce combat, rendez-vous au **330**.

123

Un bruit de pas résonne sur les dalles du couloir, et un soldat Lencien en grand uniforme de Capitaine de la Cour fait son entrée. L'homme est d'une taille supérieure à la normale, mais vous êtes surtout frappé par les traits de son visage aux yeux brillants et rapprochés, surmontant un nez fin en bec d'aigle et une moustache noire broussailleuse. « Laissez-moi vous présenter votre guide, le Capitaine Prarg », annonce le Roi Sarnac. Le Capitaine incline la tête avec respect avant de déclarer : « C'est un honneur d'avoir été choisi pour vous seconder dans une si noble quête, Grand Maître Loup Solitaire ! » Rendez-vous au **80**.

124

Sous vos yeux indiscrets, le sergent Drakkarim qui, selon toute évidence, est en train de vider la réserve de vin personnelle de son Capitaine, lève à nouveau la bouteille pour engloutir une autre rasade. Puis il enfonce le bouchon d'un coup de poing et replace la bouteille sur l'étagère avant de s'en aller. Dès qu'il est hors de vue, vous vous glissez dans la cabane et vous refermez doucement la porte derrière vous. Puis, vous vous précipitez vers la table, mais la carte n'est qu'un plan de construction du camp et elle ne peut vous fournir la moindre indication sur l'endroit où se trouve Magnaarn. Si vous voulez fouiller la cabane, rendez-vous au **344**. Si vous préférez rejoindre Prarg sans tarder, rendez-vous au **277**.

125

Après avoir escaladé l'amas de cadavres qui s'élève à hauteur de poitrine autour des portes brisées de la ville, vous continuez sans faiblir à vous frayer un chemin vers le centre de la place forte. Parvenu dans les murs, vous découvrez que les rues sont le théâtre de furieux combats entre un régiment de Croisés Lenciens qui tente de s'emparer de la citadelle et une horde de Drakkarims de l'armée de Magnaarn. Au moment où vous allez pénétrer dans la mêlée, le sort de la bataille se retourne contre les Lenciens qui sont obligés de refluer vers les portes. Pour éviter d'être entraîné, vous êtes contraint d'escalader un escalier qui mène au sommet des remparts. Vous en avez gravi la moitié quand un Drakkarim armé d'un sabre et d'un bouclier vous barre le passage. Vous esquivez sans difficulté son attaque maladroite et vous répliquez en le frappant à la poitrine. Il parvient de justesse à parer avec son bouclier, mais votre coup est si violent qu'il s'effondre en gémissant sur les marches, l'avant-bras brisé net ! En arrivant au sommet des remparts, vous tombez sur un groupe de Lenciens qui affrontent deux Chevaliers de la Mort. Avant que vous ayez pu les rejoindre, les Croisés ont pourfendu leurs ennemis, mais, l'instant d'après, ils sont à leur tour foudroyés par un éclair d'énergie pourpre qui engloutit leurs armures étincelantes dans un atroce crépitement. Leurs corps sans vie basculent dans l'escalier, vous renversant et vous écrasant sous le poids de leurs cuirasses. Pendant que vous luttez pour vous débarrasser de ce macabre fardeau, vous rencontrez le regard de leur meurtrier : un maléfique sorcier Nadziranim ! Debout au sommet des marches, il pointe son bâton de pouvoir crépitant d'étincelles droit sur votre tête. Vous refusez de baisser les yeux et vous contemplez en face l'objet de votre mort en vous préparant à rejoindre le dieu Kaï, votre maître... Rendez-vous au **177**.

126

Il y a un porche voûté dans le mur opposé. Vous vous dirigez vers lui en prenant garde d'éviter les tas de gravats qui jonchent le sol de cette pièce rongée par l'humidité. Le porche donne accès à un court passage qui débouche sur un tunnel plus long courant d'est en ouest. Si vous voulez vous diriger vers l'est, rendez-vous au **261**. Si vous préférez aller vers l'ouest, rendez-vous au **26**.

127

Tandis que vous observez les deux gardes, une idée audacieuse germe dans votre esprit. Après avoir dit à Prarg de marcher exactement derrière vous et de tenir fermement les pans de votre manteau, vous quittez le couvert des arbres pour vous avancer dans la clairière. A vingt mètres de la rampe de pierre, vous faites appel à la Grande Discipline de l'Invisibilité pour faire sortir du sol gelé un épais brouillard qui enveloppe les gardes en quelques secondes. Vociférant, les deux Tukodaks fouaillent la nuée blanche à grands coups de lance dans la crainte d'une attaque surprise. Pendant ce temps, suivi de votre compagnon agrippé à votre manteau, vous vous glissez sans difficulté entre ces deux brutes et vous pénétrez dans la tour sans être vus. Rendez-vous au **221**.

128

Prenant votre élan, vous bondissez par-dessus la crevasse. Hélas, lorsque vos pieds touchent le rebord opposé, ils dérapent sur une pierre et vous plongez, la tête la première, dans le gouffre !... Votre vie et votre quête trouvent ici une fin tragique.

129

Le repas achevé, vous quittez Prarg pour gravir la berge de la rivière. Puis, grâce à votre maîtrise Magnakaï, vous lancez un puissant appel mental dans la forêt, ordonnant aux animaux de venir à votre aide. Durant quelques minutes, il ne se passe rien. Mais soudain, deux Loups des bois surgissent à la lisière de la forêt et, obéissant à votre commandement silencieux, ils accourent à vos pieds. En temps normal, ces Loups sont des animaux sauvages qui n'obéissent qu'à leur instinct, mais le pouvoir Kaï les soumet à votre volonté. Sans avoir besoin de prononcer un mot, vous leur demandez de veiller sur le campement pendant que vous et Prarg allez dormir. D'un lent clignement des yeux, ils vous font comprendre qu'ils acceptent votre ordre et ils s'installent docilement sur leur arrière-train pour surveiller les alentours. Vous regagnez le bateau et vous prévenez votre compagnon de la présence de vos guetteurs improvisés. Au premier abord, votre initiative le laisse sceptique, puis, se souvenant de vous avoir déjà vu user de vos stupéfiants pouvoirs, ses protestations se font moins vigoureuses, d'autant que la perspective d'une nuit de sommeil sans tour de garde vient illuminer son esprit embrumé par la fatigue. Malheureusement, cet espoir se trouve bientôt déçu... Rendez-vous au **41**.

130

Au pied de l'escalier de la tour, vous levez les yeux pour voir Prarg émerger de la porte. Rengainant son épée ensanglantée, il descend rapidement les marches pour vous rejoindre. « Ce garde-là ne donnera plus jamais l'alarme..., dit-il avec un sourire sinistre en désignant la porte de la tour. Et les autres ne risquent pas non plus de le trouver trop tôt. » Puis il désigne l'entrée d'une ruelle sombre qui s'ouvre entre les carcasses de deux hangars carbonisés et vous propose de l'emprunter. « Passez devant, Capitaine », répondez-vous avec un hochement de tête approbateur, et vous vous élancez à sa suite. Rendez-vous au **178**.

131

Vous entamez votre marche à travers la forêt avec des sentiments mitigés. D'une part, vous ne perdez pas espoir de parvenir à vaincre Magnaarn, mais, de l'autre, vous ne débordez pas d'enthousiasme à l'idée de parcourir plus de quatre cents kilomètres à pied pour atteindre Dhârk où vous avez le plus de chances de retrouver votre ennemi mortel... Utilisez la *Table de Hasard*. Si le chiffre que vous tirez est inférieur ou égal à 4, rendez-vous au **216**. S'il est supérieur ou égal à 5, rendez-vous au **46**.

132

Votre ouïe sensible détecte un léger bruit de pierre frottant contre la pierre. Vous remarquez alors qu'une rangée de meurtrières commence à s'ouvrir à hauteur de poitrine dans les deux murs du passage, révélant des pointes de lances aiguisées et enduites de poison. « A plat ventre ! » hurlez-vous en plongeant vers le sol. Un instant plus tard, une double volée de traits mortels jaillit des murs et se fracasse contre la pierre avant de retomber en morceaux sur le sol. Votre réflexe vous a sauvés d'une mort certaine mais, en ricochant sur la paroi opposée, une des lances vous entaille l'arrière de la cuisse. Vos pouvoirs de guérison Magnakaï neutralisent le poison avant même que ses effets aient pu se faire sentir, mais la blessure est profonde et douloureuse : vous perdez 4 points d'ENDURANCE. Rendez-vous au **325**.

133

Lancée au grand galop, votre monture percute les trois gardes qui tentent de vous arrêter. Un acte courageux, de leur part, mais quelque peu inconsidéré : deux d'entre eux sont renversés et piétinés sous les sabots du cheval tandis que votre arme s'abat en sifflant sur le troisième, le tuant sur le coup. Vous franchissez la barricade sans autre difficulté et vous poursuivez votre course le long de la route. Vous vous rendez compte avec une grimace de douleur que vous avez récolté une vilaine blessure à la jambe : vous perdez 3 points d'ENDURANCE. Rendez-vous au **31**.

134

La créature ouvre la gueule et une boule de feu jaillit des noires profondeurs de sa gorge. A l'instant même, vos sens vous avertissent qu'il ne s'agit pas d'une boule de flammes ordinaire, mais d'un projectile de nature psychique. Tel un minuscule soleil suivi d'une traînée d'étincelles orangées, elle fuse en rugissant, et vous avez beau tenter de l'esquiver d'un plongeon magistral, elle suit votre mouvement et vient vous frapper dans le dos. A moins de maîtriser la Grande Discipline de l'Écran Psychique, vous perdez 5 points d'ENDURANCE. Étourdi, vous vous relevez avec peine et l'infâme créature en profite pour vous sauter à la gorge... Rendez-vous au **283**.

135

A moins de dix mètres de la rive ouest, votre bateau s'échoue sur les hauts-fonds. « Bon sang ! grommelle Prarg en regardant par-dessus le plat-bord. J'espérais qu'on arriverait au moins à garder les pieds au sec ! » Fouillant dans les fournitures rangées dans le bateau, il finit par extirper un pesant cordage qu'il attache à la proue tandis que vous rangez les avirons. Puis vous vous laissez glisser tous deux jusqu'aux genoux dans l'eau glacée et la vase pour haler votre esquif jusqu'à la rive. Vous finissez par atteindre la terre ferme et vous dressez votre bivouac sur une bande de gazon gelé en utilisant votre embarcation retournée comme abri. La nuit ne tarde pas à tomber. Scrutant les cieux noirs de votre regard expérimenté, vous voyez des bancs de nuages chargés de neige courir sur l'horizon. Spectacle peu réjouissant car il annonce le blizzard. Prarg propose de prendre le premier tour de garde mais, sentant qu'il a plus besoin de repos que vous, vous insistez pour qu'il dorme un peu. Durant quatre heures, vous restez assis, les yeux parcourant le sinistre horizon et l'esprit agité de questions sans réponse sur l'avenir de votre mission et les périls qui vous attendent. Mais, tout en méditant, vous conservez tous les sens en alerte car le risque d'une attaque des créatures du marais est toujours présent. Heureusement, le froid semble avoir dissuadé les hôtes des Marais de l'Enfer de quitter leur tanière cette nuit et aucun incident ne trouble votre tour de garde. Ainsi arrive le moment de réveiller votre compagnon. Et pendant que Prarg prend son quart sans enthousiasme, vous allez vous étendre pour quelques heures d'un sommeil réparateur. Rendez-vous au **327**.

136

Baissant les yeux, vous remarquez un cavalier Drakkarim de faction sous la fenêtre du silo à grains. C'est l'un des soldats qui ont été postés autour de la place pour en garder les nombreux accès, mais il semble plus intéressé par le spectacle de l'exécution que par sa mission. Sa lance repose dans un fourreau attaché à l'arrière de sa selle et, son attention étant tournée vers l'échafaud, il n'a aucune conscience que vous vous trouvez à quelques mètres au-dessus de lui. Pendant ce temps, sur l'estrade, l'officier Drakkarim rempoche sa pierre à aiguiser et un murmure parcourt les rangs des soldats lorsqu'il empoigne la lourde hache à deux mains. Conscient que votre compagnon n'a plus qu'une minute à vivre si vous ne tentez rien, vous invoquez le sortilège de Soumission Mentale. Obéissant à votre ordre muet, le cavalier met docilement pied à terre et s'éloigne comme un somnambule. Vous vous laissez alors tomber du haut de la fenêtre sur la selle de son cheval, vous saisissez les rênes et vous le lancez au galop à travers la place. Tout en chevauchant, vous tirez la lance de son fourreau et vous la pointez sur le dos des soldats qui vous séparent de l'échafaud. Rendez-vous au **63**.

137

Vous rabattez le capuchon de votre manteau et vous déployez vos pouvoirs de camouflage en suivant les deux Drakkarims vers les portes de la ville. Leur sergent commence par les insulter copieusement, leur promettant mille morts à la prochaine incartade, puis il leur aboie l'ordre de s'occuper d'un nouveau contingent de prisonniers Lenciens fraîchement arrivés. Les gardes sont si absorbés par leur tâche que vous parvenez sans difficulté à vous engouffrer entre les portes sans être vu avant de vous perdre dans la ville. Avisant une ruelle déserte qui s'ouvre entre des écuries et une armurerie, vous vous y dissimulez prestement. Là, dans l'ombre, vous observez le camp de prisonniers avec une fureur grandissante et une compassion non moins profonde pour les malheureux qui sont parqués comme des bêtes. Émou par leur sort, vous jurez de faire quelque chose pour les secourir. Après avoir étudié les mouvements des patrouilles, vous profitez d'un moment favorable pour courir vers l'enceinte du camp, avide d'entrer en contact avec les Lenciens. Rendez-vous au **150**.

138

Après avoir sondé du regard la sombre crevasse, vous finissez par y découvrir deux points intéressants. L'un, situé à quinze mètres au-dessus de l'endroit où vous vous trouvez, ressemble à une corniche rocheuse surmontée d'un demi-cercle d'ombre. Mais à y regarder avec plus d'attention, vous vous rendez compte qu'il s'agit de l'entrée d'un passage. L'autre point se trouve au contraire tout au fond de la crevasse. C'est un grand tunnel aux parois de brique qui s'ouvre à l'extrémité est du gouffre, permettant aux flots noirs du torrent souterrain de s'écouler. Si vous voulez tenter d'escalader la paroi jusqu'à l'entrée du passage qui s'ouvre au-dessus de vous, rendez-vous au **224**. Si vous préférez descendre au fond de la crevasse et tenter de vous échapper par le tunnel, rendez-vous au **193**.

139

Vous attaquez la glace à coups redoublés, mais vous parvenez à peine à l'entamer. Vous finissez par rengainer votre arme et vous courez vers le trou qui a englouti Prarg, conscient que chaque seconde diminue vos chances de le sauver. Prenant une profonde inspiration, vous sautez sans hésiter dans l'eau glacée. Au moment où vous disparaissez sous la surface, le froid engourdit vos sens. Mais vous faites aussitôt appel à la Discipline Magnakaï du Nexus pour vous protéger le corps et, une chaleur salutaire se répand dans tous vos membres. Grâce à votre pouvoir de vision nocturne, vous repérez Prarg dans l'eau grâce à la chaleur que dégage son corps. Il est coincé sous une arête de glace, vous empoignez sa tunique pour tenter de le dégager. Mais vous vous sentez tiré en arrière. Quelque chose vient d'emprisonner vos jambes ! Si vous maîtrisez la Grande Discipline de la Magie des Anciens, rendez-vous au **110**. Sinon, rendez-vous au **326**.

140

Une heure plus tard, les préparatifs de votre voyage aérien sont achevés et le Seigneur Floras et vous-même êtes reçus à bord de la *Nef du Ciel* par son second Nolrim et son joyeux équipage. Vous échangez quelques paroles avec chacun, ne pouvant retenir un sourire ému lorsqu'ils vous disent combien ils sont fiers de pouvoir vous servir une fois de plus. Nolrim prend la barre et une vibration court sur toute la longueur du pont lorsqu'il met en marche les puissantes machines du vaisseau. Le Seigneur Floras vous rejoint à l'étrave pour adresser un geste d'adieu à Rimoah et à vos disciples Kaï pendant que la *Nef du Ciel* s'élève majestueusement dans l'air vif du ciel hivernal. Puis, sur une soudaine poussée de ses moteurs, sa coque s'écarte des murailles de la Tour du Soleil et le monastère et ses occupants disparaissent bientôt dans le lointain. Vous êtes conduit avec votre compagnon dans une cabine de proue bien chauffée qui a été aménagée à votre intention. Elle est garnie d'une copieuse réserve de provisions et vous y trouvez de nombreuses cartes du Magnamund septentrional. Vous les étudiez avec soin en compagnie du Seigneur Floras afin de déterminer la route à suivre pour rejoindre le port Lencien de Vadera. Sitôt informé de votre choix, Nolrim corrige le cap de la nef volante pendant que vous vous installez dans votre cabine en prévision de la longue traversée. Selon vos estimations, il faudra trente heures de vol pour parvenir à destination... Au cours de votre traversée aérienne, le Seigneur Floras vous fait le récit des événements dramatiques qui ont agité les Tentarias occidentales depuis la chute des Seigneurs des Ténèbres. Avant leur chute, les nations Drakkarims avaient tenu les Lenciens en échec pendant des siècles. Ceux-ci avaient lancé d'innombrables croisades en vue de reprendre les terres qui leur appartenaient jadis, mais toutes s'étaient achevées par de coûteuses défaites pour la Maison de Sarnac. Et puis, il y a deux ans, le cours de la guerre a enfin basculé lorsque le Roi a lancé une nouvelle offensive, traversant le Golfe de Lencia pour envahir les provinces du Zaldir et du Nyras. L'audace de sa stratégie, combinée à l'impréparation de ses ennemis, devait lui offrir de nombreuses victoires dans les premiers mois de la guerre. Une grande partie du Zaldir et tout le sud du Nyras ont ainsi été conquis par ses chevaliers et, désormais, la ligne de front forme une diagonale qui traverse tout le centre du Nyras, du lac

Lenag au nord à la forteresse de Lozonzee qui domine les Marais de l'Enfer, à l'est. Cependant, la victoire du Roi Sarnac n'est pas encore complète dans le sud car les cités de Shpyder et de Dhârk résistent jusqu'à maintenant à tous les assauts Lenciens. Les garnisons Drakkarims de ces deux places fortes résistent et, bien qu'elles soient assiégées depuis plus d'un an, elles refusent toujours de capituler... « A présent, la guerre s'est concentrée sur les villes de Konozod et de Hokidat, poursuit le Seigneur Floras en désignant leur emplacement sur la carte. Nos troupes y ont livré de nombreuses batailles, mais la victoire n'a pas encore voulu nous sourire. Maintenant, à l'approche d'un hiver qui s'annonce rude, notre avance a été arrêtée. La poursuite du siège de Shpyder et de Dhârk nous prive de troupes et de moyens logistiques qui nous seraient plus utiles dans le nord. Pour compenser leur absence, le Roi a engagé de nombreuses compagnies de mercenaires destinées à renforcer ses armées ; mais leurs services se paient cher et la campagne a déjà été coûteuse, tant en or qu'en vies humaines. Les coffres du Roi sont presque vides et les mercenaires exigent d'être payés pour continuer à le servir. Déjà, plusieurs de leurs régiments ont déserté. Si Magnaarn devait trouver l'objet de sa quête et s'il nous frappait maintenant, alors que nos lignes de bataille sont affaiblies, il serait capable de nous rejeter à la mer ! » L'exposé du Seigneur Floras n'est guère enthousiasmant, mais il ne fait que renforcer votre volonté d'empêcher Magnaarn de parvenir à ses fins. Plus tard, peu avant la tombée de la nuit, vous sortez de la cabine et vous montez sur le pont arrière pour respirer un peu d'air frais. Dans la solitude, vous regardez défiler la vaste plaine Slovarienne à plus de mille mètres sous la coque du vaisseau, songeant à tout ce qui vous attend à votre arrivée à Lencia. Puis, après avoir contemplé un moment la nuit claire zébrée d'étoiles filantes, vous regagnez votre cabine, réconforté par la pensée que le temps et les astres se sont alliés pour accélérer votre vol nocturne vers Vadera. Rendez-vous au **257**.

141

L'un de vos éclaireurs se précipite et vous prend par le bras, craignant que vous n'ayez été mortellement blessé. Vous l'écartez d'une bourrade et vous lui dites qu'il serait bien avisé de regarder où il met les pieds à l'avenir. Puis, coupant court à ses excuses, vous lui intimez l'ordre de vous suivre et vous commencez à ramper dans la neige en utilisant du mieux possible le couvert de la maigre végétation. Vous continuez à vous enfoncer dans le taillis jusqu'au moment où vous découvrez l'endroit d'où la flèche est partie : un petit campement dissimulé entre les arbres. Il se compose de quatre tentes de toile blanche gardées par une douzaine de soldats armés d'arcs, l'air affamé. Voyant un étendard de bataille roulé contre l'une des tentes, vous demandez à l'éclaireur s'il reconnaît le motif à damier noir et blanc. « Ce sont des guerriers de la Ligue d'Ilion, murmure-t-il. Ces hommes sont de bons mercenaires, fidèles à notre Roi. Ils combattaient à nos côtés à Hokidat. » Vous hésitez cependant à vous montrer, redoutant une nouvelle volée de flèches. Mais, lorsque vous faites part de vos craintes à votre compagnon, il répond avec un sourire en coin : « Ne vous en faites pas, messire, je sais comment entrer sans risque en contact avec eux. » Rendez-vous au **8**.

142

Quittant l'abri du pont, vous progressez lentement le long du fossé gelé jusqu'au moment où vous vous retrouvez en face de la tranchée sud. De cette position, vous épiez les sentinelles Drakkarims qui surveillent le secteur. Vous ne pouvez apercevoir que leurs trognes penchées par-dessus le parapet mais, au bout d'un certain temps, leurs têtes disparaissent les unes après les autres. Votre ouïe aiguisée vous permet de déceler des rires, des sortes de cliquetis et quelques jurons en dialecte Glok, ce qui donne à penser que les gardes sont absorbés par une partie de dés. C'est le moment ou jamais de passer à l'action. Prarg insiste pour être le premier car il a déjà franchi ces défenses et il sait comment les traverser sans danger. Il vous explique que le terrain qui s'étend devant la ligne de tranchée, apparemment dépourvu d'obstacles, est en réalité truffé de fosses prêtes à engloutir les imprudents. Vous acceptez d'un hochement de tête et vous commencez à ramper dans la neige à sa suite, progressant vers la tranchée en zigzaguant entre les pièges. Deux minutes plus tard, vous atteignez le remblai durci par le gel qui précède la tranchée. Vous faites signe à Prarg de se tenir prêt à passer à l'attaque. Mais, avant qu'il ait pu dégainer son épée, un garde dresse la tête par-dessus le remblai pour jeter un coup d'œil alentour. Il se trouve à moins de cinquante centimètres de vous et sursaute de stupéfaction, bouche bée, les yeux écarquillés de terreur, lorsqu'il se retrouve nez à nez avec le Grand Maître Kaï en personne ! D'un geste instinctif, vous le frappez à la tempe du tranchant de la main dans l'espoir de l'estourbir avant qu'il ait pu alerter ses acolytes. Mais son mouvement d'effroi le rejette en arrière et vous le ratez d'un cheveu... Utilisez la *Table de Hasard*. Si le chiffre que vous tirez est inférieur ou égal à 2, rendez-vous au **206**. S'il est compris entre 3 et 6, rendez-vous au **337**. S'il est supérieur ou égal à 7, rendez-vous au **164**.

143

Face à la porte, vous vous concentrez avant d'émettre le mot de pouvoir de combat que vous a enseigné votre vieil et fidèle ami, le Seigneur Rimoah : « Onkrh ! » Le mot terrible frappe la porte tel un formidable marteau et le coup se répercute longuement entre les murs de la petite pièce. Voyant un réseau étoilé de fissures apparaître sur le battant, vous y appliquez l'épaule et, au prix d'une forte poussée, le verrou finit par céder. La porte s'ouvre... Rendez-vous au **11**.

144

Dépourvue de voile, votre embarcation avance de moins en moins vite le long du chenal. Vous vous approchez du groupe de huttes, et, arrivé à leur hauteur, vous constatez qu'elles sont au nombre de huit, édifiées au moyen de racines enchevêtrées plaquées de boue et couvertes de toits grossiers constitués de végétaux. Elles semblent vides mais pas abandonnées. La berge est jonchée d'ossements et vous pouvez voir les peaux d'un serpent et d'un lézard qui sèchent sur un cadre de bois dressé à proximité. « C'est un camp de Ciqualis », murmure Prarg en scrutant les eaux à la recherche du plus petit indice de mouvement. Au cours de vos voyages, vous avez souvent entendu parler des Ciqualis et, il faut le reconnaître, jamais en bien... En vérité, ces abominables créatures sont le fléau – du moins, l'un des fléaux – des Marais de l'Enfer. Appréciant par-dessus tout la chair humaine, aussi rusés qu'intelligents, ces êtres amphibies constituent pour vous la plus redoutable des menaces. « La chance est avec nous, Loup Solitaire, vous chuchote Prarg à l'oreille tandis que le vent vous éloigne des huttes. Le camp est vide. Ses occupants doivent être partis pour la chasse. Nous avons été heureux de passer par là à ce moment ! » A peine hors de vue du village, vous vous empressez de hisser à nouveau la voile et, poussés par un vent bienveillant, vous poursuivez votre route vers le nord en remontant la Bouche de Dakushna... Vous commencez à ressentir un léger creux à l'estomac et, à moins de maîtriser la Grande Discipline de l'Art de la Chasse, vous devez prendre un Repas pour éviter de perdre 3 points d'ENDURANCE. Rendez-vous au **322**.

145

Dans un formidable fracas, un nuage de fumée jaillit du canon du mousquet, effrayant votre monture. Mais vous parvenez rapidement à reprendre son contrôle pour la lancer au grand galop sur la route. Vous vous enfuyez vers le nord, dissimulé aux yeux de vos poursuivants par l'âcre brouillard de poudre échappé du mousquet. Bien que vos tympans résonnent encore de sa détonation, vous vous en sortez sans une égratignure. Mais l'infortuné Prarg n'a pas eu la même chance : son épaule et son bras ont été sérieusement touchés et il saigne abondamment. Aussitôt que possible, vous faites halte et vous utilisez vos pouvoirs de guérison pour refermer ses plaies avant de vous remettre en route. Cependant, cet usage généreux de vos pouvoirs Magnakaï vous coûte 3 points d'ENDURANCE. Votre jument a le pied léger et elle est bien découplée, ce qui vous permet de parcourir plus de dix kilomètres à vive allure. Vous l'obligez à faire halte lorsque vous apercevez un obstacle au loin... Rendez-vous au **106**.

146

Vous vous engouffrez dans le tunnel, pensant qu'il va vous mener rapidement à la surface. Mais vos espoirs s'évanouissent lorsque vous parvenez au sommet de marches branlantes. Elles vous conduisent tant bien que mal jusqu'à un palier sur lequel vous découvrez le cadavre d'un Drakkarim, couché sur un monticule de débris qui obstruent la cage de l'escalier qui donne sur l'étage supérieur. Un rapide examen vous révèle qu'il a les deux bras cassés : blessé et pris au piège par l'effondrement du temple, ce garde a fini par mourir d'inanition. Si vous voulez inspecter le cadavre de plus près, rendez-vous au **247**. Si vous préférez dégager les gravats qui obstruent l'escalier, rendez-vous au **347**.

147

La balle d'énergie frappe la serrure mais, horreur ! elle rebondit et vous frappe en pleine poitrine ! Utilisez la *Table de Hasard*. Le chiffre que vous tirez indique le nombre de points d'ENDURANCE que vous fait perdre ce retour de flamme (attention, dans ce cas précis, 0 = 10). Si vous êtes toujours vivant, n'oubliez pas de modifier en conséquence votre *Feuille d'Aventure*. A contrecœur, vous renoncez à ouvrir cette serrure et vous rebroussez chemin vers la bifurcation. A la suite de Prarg, vous vous enfoncez dans le couloir opposé, qui décrit bientôt un angle. Avant que vous ayez pu le retenir, le Capitaine franchit cet angle sans précaution... et se retrouve nez à nez avec un énorme sergent des Chevaliers de la Mort Drakkarims ! Laissant échapper un juron dont l'écho se répercute longuement sur les parois de l'étroit corridor, le guerrier dégaine son épée et se rue sur votre imprudent compagnon. Si vous avez un arc et si vous désirez l'utiliser, rendez-vous au **241**. Si vous n'en possédez pas, ou si vous préférez ne pas vous en servir, rendez-vous au **113**.

148

Après avoir rejeté par-dessus bord le corps sans vie de votre dernier adversaire, vous faites volte-face pour voir votre compagnon engagé dans un corps à corps avec un autre Ciquali. Prarg a lâché son épée et il est en mauvaise posture : la créature est de loin la plus imposante de la meute et une grande partie de son corps musculeux est protégée par une armure constituée d'os humains grossièrement assemblés. Volant au secours du Capitaine, vous assenez au monstre un coup qui lui ouvre une large plaie à la base du crâne. Pendant un instant, le Ciquali continue le combat comme si de rien n'était, puis ses mains palmées se desserrent, laissant Prarg s'effondrer mollement au fond du bateau. La bête se tâte le crâne et, ramenant la main devant ses yeux globuleux, elle découvre avec une expression d'intense stupéfaction qu'elle est couverte de sang et de débris osseux. Vous levez votre arme pour lui donner le coup de grâce, mais c'est finalement inutile : ses yeux tournent dans leurs orbites et, raide comme un bout de bois, le Ciquali bascule par-dessus le plat-bord et coule à pic. Aussitôt, tous ses congénères désertent l'embarcation, se laissant glisser avec des bruits visqueux vers leurs froides tanières aquatiques. Le silence revient à la surface. Vous restez sur vos gardes un moment, craignant qu'il ne s'agisse d'une ruse, avant de pousser un soupir de soulagement en comprenant qu'ils sont bel et bien partis. Grâce à sa robuste constitution et avec l'aide de vos pouvoirs de guérison, Prarg se remet rapidement de tous les coups qu'il a reçus au cours de son difficile combat avec le chef Ciquali. Quant à votre esquif, il a lui aussi plutôt bien tenu le choc, ce qui vous permet de vous remettre en route sans plus tarder. Aussitôt l'obstacle contourné, vous hissez la voile et, poussés par les vents favorables, vous remontez le canal vers le nord. Cette rencontre imprévue et mouvementée vous a creusé l'estomac et vous devez prendre un Repas ou perdre 3 points d'ENDURANCE. Rendez-vous ensuite au **322**.

149

Vous vous hissez hors de la cave pour vous lancer à la poursuite des Drakkarims, l'arme au poing, bien décidé à arracher votre compagnon de leurs griffes. Mais, au moment où vous vous engouffrez dans l'avenue de l'ouest, vous découvrez qu'ils ont déjà rejoint les soldats qui escortent le chariot bâché. Le chariot s'est immobilisé et le pauvre est maintenant entouré par une cinquantaine de Drakkarims qui le secouent, le frappent, le houspillent et l'insultent à loisir. Vous pouvez entendre de nombreuses voix proférer dans l'affreux dialecte Glok : « Pendons ce chien d'espion Lencien ! » Redoutant qu'ils ne finissent par le massacrer, vous décidez de le délivrer en passant en force à travers la foule des soudards, bien que leur nombre rende vos chances de succès à peu près nulles. Mais avant que vous ayez eu le temps de passer à l'action, un officier Drakkarim à cheval fait irruption dans l'avenue et ordonne aux soldats de se mettre au garde-à-vous. Un silence gêné tombe sur la meute des Drakkarims qui, avec discipline, s'écarte de Prarg pour se ranger en colonne face à l'officier et à sa monture. Sur ordre de leur chef, deux hommes soulèvent Prarg, laissé à demi assommé sur le sol, et le jettent comme un tas de chiffons dans le chariot. Puis, le véhicule se remet en branle, remontant l'avenue vers une place lointaine, suivi par la colonne des soldats au pas cadencé. Vous les suivez à distance sans perdre une miette de la scène, enregistrant chaque mouvement, attentif au moindre détail qui vous permettrait de libérer votre compagnon. Parvenu sur la place qui prolonge l'avenue, vous découvrez qu'elle est dominée par une haute tour, à l'évidence la Tour de Magnaarn. Sa bannière, représentant un aigle noir tenant dans ses serres deux épées flamboyantes, flotte paresseusement au bout de sa hampe. Le chariot s'arrête devant un bâtiment adjacent à la Tour et Prarg y est traîné sans ménagement. Considérant les barreaux qui ornent ses fenêtres et les gardes de faction devant la porte, vous comprenez qu'il s'agit de la prison de Shugkona. Dissimulé dans un coin sombre de la place, vous étudiez les lieux en essayant d'élaborer un plan. Mais bientôt, un officier ordonne à tous les soldats présents de fouiller la ville par groupes de deux pour rechercher d'autres espions éventuels. Voyant plusieurs Drakkarims venir dans votre direction, vous cherchez en hâte une cachette. Un rapide coup d'œil alentour ne vous fait découvrir que deux bâtiments susceptibles d'offrir un abri sûr : un entrepôt et des écuries. Si vous décidez de vous cacher dans l'entrepôt, rendez-vous au **324**. Si vous préférez vous dissimuler dans les écuries, rendez-vous au **96**.

150

Vous remarquez un petit groupe de guerriers serrés les uns contre les autres dans un coin de l'enclos, à l'écart des autres prisonniers. Sur la poitrine de leurs manteaux sales et déchirés, vous pouvez distinguer un emblème qui représente une couronne surmontant les armoiries de Vadera. A n'en pas douter, ces hommes appartiennent à la Garde Impériale de Vadera, l'un des plus prestigieux régiments Lenciens. Vous utilisez vos

150 *Vous vous approchez du grillage pour attirer l'attention d'un homme de la Garde Impériale.*

Grandes Disciplines Kaï pour échapper aux regards des Drakkarims, vous vous approchez du grillage du camp pour tenter d'attirer discrètement leur attention. L'un d'eux, portant un uniforme loqueteux de Capitaine, vous aperçoit et vous toise d'un air peu amène. Vous lui faites signe de venir d'un geste insistant et il finit par s'approcher du grillage en rampant. « Vous n'êtes ni un Drakkarim ni un Lencien. Qui diable êtes-vous donc et que voulez-vous ? vous souffle-t-il entre ses lèvres bleuies par le froid et la faim. Est-ce que ça ne serait pas un nouveau piège pour nous tourmenter encore un peu plus ? » « Je vous jure que ce n'est pas un piège, murmurez-vous. Je suis un allié au service de votre Roi. Je veux vous aider à vous échapper, vous et vos hommes. » Après vous avoir dévisagé un moment de ses yeux gris acier, il finit par hocher la tête avant de lâcher d'une voix emplie de désespoir : « Vous arrivez trop tard... Nous sommes tous bien trop faibles pour tenter quoi que ce soit. Certains des nôtres ont voulu tenter leur chance, et ils ont fini dans la gueule des Chiens. Non, ce serait un suicide... Sauvez plutôt, votre peau, étranger, et oubliez-nous. » « Mais si vous restez ici, vous êtes sûrs de mourir de faim, sacrebleu ! rétorquez-vous. Ne vaut-il donc pas mieux périr en combattant que de se laisser mourir à petit feu ? La garnison n'est pas nombreuse, elle doit compter à peine quarante Drakkarims. Je peux facilement faire une diversion pour éloigner les gardes et leurs Chiens. Vos hommes sont peut-être affaiblis, mais ils sont cinq fois plus nombreux que l'ennemi ! Au nom d'Ishir, avez-vous donc perdu toute volonté de vivre ? » Sans un mot, le Capitaine Lencien tourne la tête pour contempler ses compagnons faméliques d'un air pensif. Puis il se retourne vers vous, et vous voyez une mince et nouvelle lueur d'espoir scintiller dans ses yeux. « Tous ces hommes n'ont rien mangé depuis une semaine et les blessés n'ont reçu aucun soin. Beaucoup sont morts, et beaucoup vont mourir bientôt. Je crains que nous ne soyons trop faibles pour affronter un ennemi dont l'estomac est bien rempli et la main armée d'une solide épée. Pourtant... si nous avions des armes... » « Si vous faites ce que je vous dis, vous aurez assez d'armes pour vous emparer de la ville ! » répliquez-vous avec ardeur. Le Lencien baisse la tête en plissant les yeux et, pendant un instant, vous voyez l'ombre d'un sourire se dessiner sur ses lèvres craquelées par le froid. Quand il ouvre à nouveau la bouche, il déclare d'une voix ferme : « C'est d'accord, étranger. Expliquez-moi votre plan. » Rendez-vous au **61**.

151

Grâce à vos pouvoirs Kaï, vous parvenez à tromper la vigilance des deux gardes Tukodaks jusqu'au moment où il est trop tard pour eux... Jaillissant du pied de la rampe de pierre, vous leur tombez dessus comme la foudre et vous les réduisez au silence avant qu'ils aient pu donner l'alerte. Rendez-vous au **311**.

152

Tendant le bras vers la bête, vous énoncez les paroles du sortilège de la Main de Foudre, et une décharge d'énergie électrique jaillit de vos doigts. Elle frappe de plein fouet la créature qui cesse d'avancer, étourdie. Mais elle ne tarde pas à retrouver ses esprits et repart à l'attaque... Rendez-vous au **297**.

153

Vous vous laissez tomber de tout votre poids sur le dos du lancier, mais le choc ne suffit pas à le désarçonner, et il se défend avec une énergie farouche. Avant que vous soyez parvenu à lui faire vider les étriers, il parvient à vous entailler l'avant-bras d'un coup de sabre ; vous perdez 3 points d'ENDURANCE. Vous maîtrisez le cheval affolé pour le lancer au grand galop à travers la place, avant de tirer la lance de son fourreau et de la pointer sur les rangs de soldats Drakkarims qui vous séparent de l'échafaud... Rendez-vous au **63**.

154

Vous atteignez le hameau et vous avancez d'un pas vif le long de la grand-rue déserte, entre deux rangées de maisons basses dont les épais toits de chaume sont restés intacts en dépit de la furieuse bataille qui s'est déroulée si près. Sur votre droite, vous remarquez une construction à l'allure de grange dont la porte est entrebâillée. Cela vous permet d'entrevoir un brasero, une enclume et un tapis de copeaux de fer qui indiquent que c'était autrefois un atelier de forgeron. Mais à présent, comme tous les autres bâtiments alentour, toute vie semble l'avoir abandonné. Au moment où vous passez devant la porte entrouverte, vous entendez une voix humaine. A en juger par son accent, elle appartient à un Lencien qui vous abreuve des pires

154 *Vous voyez un Croisé Lencien se précipiter en brandissant une masse d'armes de la main gauche.*

injures, vous prenant pour un mercenaire des pays de la Storn en train de changer de camp ! Vous vous tournez aussitôt vers la porte de la forge, et vous voyez un Croisé Lencien se précipiter dans la rue en brandissant une masse d'armes de la main gauche. Vous hurlez que vous êtes fidèle au Roi Sarnac et qu'il commet une horrible méprise, mais il refuse de vous écouter et se rue sur vous, bien décidé à vous fracasser le crâne...

CROISÉ
LENCIEN HABILETÉ : 34 ENDURANCE : 36

Dans ce combat, dont vous vous seriez volontiers passé, vous vous efforcez d'assommer votre adversaire en évitant, autant que possible, de lui assener un coup fatal. Procédez néanmoins comme dans un affrontement normal. Si vous parvenez à réduire le total d'ENDURANCE du chevalier à zéro, rendez-vous au **272**.

155

Alors que vous êtes aux prises avec le dernier Gorodon, Prarg surgit soudain dans votre champ de vision et attaque la bête par-derrière. Comme vous étiez dans une situation désespérée, votre fidèle compagnon a ramené le canot vers la rive pour accoster et accourir à la rescousse. Avec son aide, il va sans dire que ce dernier monstre ne tarde pas à connaître le même sort que ses congénères et il expire bientôt à vos pieds dans d'affreuses convulsions. Quant à vous, cet affrontement vous a laissé sans force, et c'est avec gratitude que vous laissez Prarg vous soutenir pour regagner le bateau et monter à bord. « Vous pouvez vous vanter de vous en être bien tiré ! vous assure-t-il en disposant les avirons dans leurs tolets. C'est un vrai miracle que vous soyez vivant. La première fois que j'ai navigué dans ces chenaux, j'ai perdu trois de mes meilleurs hommes dans une attaque de Gorodons. Ces horreurs sont le fléau de ces Marais... quoique, il faut bien le dire, on peut y rencontrer des créatures encore bien pires. Oui, bien pires... » Bientôt, vous atteignez la rive ouest et vous accostez sans difficulté avant de dresser votre bivouac sur une butte qui domine une morne étendue de marécage. La nuit est maintenant tout à fait tombée. Réfugié sous l'abri précaire de votre embarcation retournée, vous scrutez les cieux noirs et vous voyez de lourds nuages chargés de neige courir sur l'horizon. Spectacle peu réjouissant car il annonce le blizzard. Prarg s'offre à prendre le premier tour de garde mais, sentant qu'il a plus besoin de repos que vous, vous insistez pour qu'il dorme un peu. Durant quatre heures, vous restez assis, les yeux parcourant le sinistre horizon et l'esprit agité de questions sans réponse sur l'avenir de votre mission et les périls que vous allez encore devoir affronter. Mais, tout en méditant sur ces inquiétantes perspectives, vous conservez tous les sens en alerte. Heureusement, le froid de plus en plus mordant semble avoir dissuadé les hôtes des Marais de l'Enfer de quitter leurs tanières cette nuit. Ainsi arrive le moment de réveiller votre compagnon. Et pendant que Prarg prend son quart sans enthousiasme, vous allez vous étendre pour savourer quelques heures d'un sommeil réparateur. Rendez-vous au **327**.

156

En vous servant de vos armes et de vos mains nues, vous creusez un passage à travers une masse compacte de terre et de roche broyée pendant quinze interminables journées, sans autre soutien que votre courage et votre volonté de survivre. Vous êtes cependant sur le point de renoncer lorsque, vers le milieu du seizième jour, vous débouchez dans un corridor demeuré intact, libre de tout débris ! Épuisé, mais en vie, vous vous extirpez dans un dernier effort de votre boyau avant de vous effondrer, inconscient, sur le sol couvert de moisissure de ce tunnel. Ramenez votre total d'ENDURANCE à 15 points. Rayez également de votre *Feuille d'Aventure* tous les Repas que vous transportiez dans votre Sac à Dos, ainsi que toutes les potions de Laumspur ou d'Alether. Rendez-vous ensuite au **239**.

157

Le Capitaine Prarg reprend connaissance et, au bout d'un certain temps, il retrouve assez de forces pour se relever avec votre aide et se tenir debout. Il est trempé et il grelotte, mais il n'est plus en état de choc. C'est un solide gaillard. Revenant avec précaution sur vos pas, vous faites un large détour afin d'éviter la couche de glace mince et, une heure plus tard, vous atteignez la rive opposée du lac pour pénétrer dans la forêt qui s'étend au-delà. Rendez-vous au **187**.

158

Vous maniez les avirons avec une ardeur décuplée, accélérant l'allure jusqu'aux limites de vos forces, quand vous entendez le chef des Drakkarims aboyer un ordre. Aussitôt, les flèches cessent de pleuvoir. Vous continuez à ramer comme un forcené, en espérant être hors de portée des archers, ou qu'ils soient à court de flèches mais, lorsque vous osez jeter un coup d'œil vers la berge, vous voyez leur chef vous coucher en joue avec soin. Vous êtes loin d'être tiré d'affaire. Il a commandé à ses hommes de cesser le feu uniquement parce qu'il tient à vous expédier lui-même au royaume des morts ! La corde de l'arc du gros Drakkarim se détend en vibrant et, dans un chuintement aigu, sa flèche file vers vous avec une précision terrifiante... Si vous maîtrisez la Grande Discipline de l'Alchimie Kaï et si vous avez atteint le rang de Grand Maître Principal, rendez-vous au **86**. Si vous maîtrisez la Grande Discipline de l'Alchimie Kaï, mais si vous n'avez pas encore atteint ce rang de maîtrise Magnakaï, rendez-vous au **17**. Si vous ne maîtrisez pas cette Grande Discipline, rendez-vous au **345**.

159

Vous progressez le long d'une bande de plage dominée par une basse colline herbeuse, lorsqu'une voix martiale retentit dans la nuit : « Halte ! Pas un geste ! » Vous vous aplatissez tous deux entre les rochers et, un instant plus tard, Prarg vous chuchote à l'oreille : « Ils sont Lenciens. Sûrement des sentinelles de la garnison de l'île. » Vous retenez votre souffle. Les silhouettes de deux soldats se découpent au sommet de la colline. Ils agitent leurs lances avec fureur et vous pouvez les entendre pester contre votre brusque disparition pendant qu'ils descendent en courant vers la plage. « Maudits soient ces imbéciles ! lâche Prarg entre ses dents. Si jamais ils nous trouvent, la garnison tout entière sera au courant de notre mission avant même que nous l'ayons réellement entamée ! » Si vous maîtrisez la Grande Discipline de l'Invisibilité et si vous avez atteint le rang de Grand Maître Tutélaire, ou un rang supérieur, rendez-vous au **19**. Si vous ne remplissez pas ces deux conditions, rendez-vous au **93**.

160

Vous faites rouler les cadavres des deux Chevaliers de la Mort dans l'escalier afin d'entraver la progression des autres Drakkarims, mais l'un d'eux parvient à bondir par-dessus les cadavres et tente de vous passer sa lance au travers du corps. Vous faites un bond de côté et, sans autre forme de procès, vous l'abattez d'un coup à la tête. Mais la pointe de son arme vous a labouré le flanc et vous perdez 3 points d'ENDURANCE. Grimaçant de douleur, vous vous ruez vers une fenêtre placée à l'autre extrémité de la tour et vous regardez au-dehors. A la verticale de l'endroit où vous vous trouvez, vous voyez un lancier Drakkarim monté sur un cheval de bataille. Sa lance est enfoncée dans un fourreau cylindrique fixé à l'arrière de sa selle et il brandit un lourd sabre de cavalerie. Tout occupé à encourager les soldats qui entrent dans la tour, il n'est pas conscient de votre présence quelques mètres au-dessus de lui. Sans un bruit, vous grimpez sur l'appui de la fenêtre et, dégainant votre arme, vous vous laissez tomber sur lui comme la foudre. Utilisez la *Table de*

Hasard. Si vous maîtrisez la Grande Discipline de l'Art de la Chasse, ajoutez 3 au chiffre que vous tirez. Si le résultat est inférieur ou égal à 4, rendez-vous au **153**. S'il est supérieur ou égal à 5, rendez-vous au **28**.

161

Vous vous agenouillez au chevet de votre compagnon, inquiet de savoir s'il est toujours en vie. Soulagé, vous constatez qu'il respire toujours car le redoutable projectile l'a atteint par ricochet ; touché de plein fouet, il aurait été tué sur le coup ! Vous êtes encore penché sur lui lorsque vous percevez un mouvement à l'autre extrémité de la salle. Vous levez les yeux pour voir le Seigneur de la Guerre Magnaarn émerger de l'une des nombreuses draperies noires qui tendent les murs. Une aura maléfique l'enveloppe et son aspect physique s'est incroyablement modifié depuis votre première rencontre dans le funeste labyrinthe souterrain du Temple d'Antah. Son corps n'est plus qu'une silhouette squelettique et tordue, comme momifiée, et ses yeux fiévreux saillent de ses orbites. Vous pouvez sentir qu'il est possédé par l'objet qu'il serre dans sa main décharnée : le Sceptre de Nyras ! Magnaarn laisse échapper un ricanement sardonique et pointe sur vous le sceptre maléfique qui bourdonne du terrible pouvoir de la Pierre Maudite enchâssée dans sa tête de platine mais, à votre propre étonnement, vous ne ressentez aucun des effets néfastes qu'il vous avait causés dans le Temple d'Antah. Vous n'éprouvez aucune faiblesse, vos forces et vos pouvoirs demeurent intacts ! Les yeux maladifs du Seigneur de la Guerre s'écarquillent de stupeur et vous sentez que la peur s'empare de lui. Il vous jure que vous allez mourir, mais sa voix rauque est de moins en moins assurée. Pour la première fois, il semble douter de son pouvoir. C'est alors que vous percevez une autre présence à proximité, une présence surnaturelle... Appelée par Magnaarn, une étrange silhouette vaporeuse émerge d'une autre draperie, et vous reconnaissez la redoutable entité polymorphe d'un sorcier Nadziranim ! Votre esprit entend Magnaarn lui ordonner mentalement de vous occire sur-le-champ, et la créature passe aussitôt à l'action. Elle s'avance en changeant d'aspect à mesure qu'elle se rapproche. A moins de cinq mètres de vous, elle finit par se matérialiser sous une forme terrifiante... Rendez-vous au **42**.

162

Votre ultime coup soulève la créature de la chaussée, la projetant dans les eaux rugissantes de la rivière souterraine. Elle refait surface un instant et agite ses longs bras avec frénésie avant de disparaître dans les tourbillons d'écume. Poussant un soupir de soulagement, vous rengainez votre arme et vous empoignez la lourde chaîne. Vous la tirez de façon à relever la grille de quelques dizaines de centimètres, assez pour vous permettre de vous glisser sous les barreaux, avant de poursuivre d'un bon pas votre route le long du tunnel. Au bout de quelques centaines de mètres, le passage tourne vers le sud. A cet endroit, une volée de marches glissantes monte de la chaussée vers un obscur passage voûté. Si vous désirez gravir cet escalier, rendez-vous au **33**. Si vous préférez continuer à suivre la chaussée, rendez-vous au **274**.

163

Vous rejoignez en hâte le bateau afin de réveiller votre compagnon. Mais il est plongé dans un sommeil si profond que vous êtes obligé de le secouer comme un prunier pour qu'il daigne ouvrir un œil. « Que... qu'est-ce que c'est ? » bredouille-t-il d'une voix pâteuse en reprenant ses esprits. « Debout, Capitaine, répliquez-vous. Il y a des ennuis en perspective... » Votre ton suffit à le réveiller tout à fait. Il repousse ses couvertures, bondit sur ses pieds en dégainant son épée et escalade à votre suite la berge de la rivière. Parvenus au sommet, vous voyez une vingtaine de Chiens de Guerre sortir furtivement de la forêt. Vos sens aiguisés vous désignent le chef de la meute et, à cet instant, le souvenir de vos rencontres passées avec des Akataz vous revient à l'esprit, vous rappelant le point faible de ces redoutables fauves : ils sont très sensibles aux attaques psychiques. Utilisant votre pouvoir Kaï, vous vous préparez à projeter une violente décharge d'énergie mentale dans le cerveau du chef de meute... Utilisez la *Table de Hasard*. Si vous maîtrisez la Grande Discipline du Foudroiement Psychique, ajoutez 4 au chiffre que vous tirez. Si le résultat est inférieur ou égal à 6, rendez-vous au **242**. S'il est supérieur ou égal à 7, rendez-vous au **99**.

164

Déséquilibré, le garde s'étale de tout son long au fond de la tranchée mais, avant qu'il ait pu pousser un cri, vous bondissez tous deux dans l'abri, l'arme au poing, et vous le réduisez au silence. Dans la seconde qui suit, vous vous abattez comme la foudre sur les trois autres Drakkarims qui occupent la position et vous les envoyez jouer aux dés en enfer sans leur laisser le temps de dégainer leurs épées. Sans perdre un instant, vous vous hissez hors de la tranchée pour traverser au pas de course la dernière bande de terrain nu qui vous sépare des bâtiments extérieurs de la ville. Tout en courant, Prarg désigne une ruelle sombre qui s'enfonce entre les carcasses noircies de deux hangars calcinés et vous vous y engouffrez sur ses talons. Rendez-vous au **178**.

165

Malgré son épuisement, votre courageuse monture saute la tranchée sans trébucher et parvient à soutenir un galop assez rapide pour vous mettre hors de portée des archers Drakkarims. Pendant quelques centaines de mètres, vous poursuivez votre course le long de la lisière de la Forêt de Tozaz, puis, dès que l'ennemi est hors de vue, vous rejoignez la route pour fuir vers le nord. Rendez-vous au **230**.

166

A peine avez-vous abattu les deux gardes que vous entendez des cris d'alarme éclater au-dehors : la toiture des écuries vient de prendre feu. La confusion règne chez les soldats de la garnison qui doivent tenter d'éteindre l'incendie et de rattraper les chevaux affolés qui s'enfuient au galop à travers les rues. Vous vous précipitez vers l'entrée de l'armurerie et vous ôtez la lourde barre qui verrouille les portes de l'intérieur. Dehors, les gardes du camp de prisonniers abandonnent leur poste dans le plus grand désordre pour combattre l'incendie qui ravage les écuries. Les Lenciens se lèvent les uns après les autres et convergent discrètement vers l'entrée du camp. Dès que les derniers gardes sont hors de vue, ils se ruent en avant et enfoncent les portes de l'enclos. Menés par le Capitaine, ils envahissent la place dallée de pierre, courent vers l'armurerie en balayant sur leur passage les Drakkarims assez stupides pour tenter de s'opposer à leur déferlement. Dans une clameur, ils s'engouffrent dans l'armurerie dont vous avez ouvert toutes grandes les portes et ils font main basse sur les râteliers garnis de lances et d'épées. « Emparons-nous de cette ville ! » hurle le Capitaine et, aux cris de « Lencia ! » et de « Pour le Roi Sarnac ! », ses hommes envahissent les rues, avides d'en découdre. Vous tentez de rejoindre le Capitaine, dont vous apprenez qu'il se nomme Schera, mais vous êtes entraîné au-dehors par la foule des soldats galvanisés. Rendez-vous au **39**.

167

Vous murmurez à toute vitesse la formule du sortilège Arrêt de Projectile et, à la seconde même, le premier carreau s'immobilise en pleine course. Votre réflexe sauve la vie de votre compagnon, mais il n'empêche pas le second trait d'atteindre sa cible. Sa pointe effilée trace dans votre avant-bras un sillon sanglant qui vous arrache un cri de douleur et vous fait perdre 4 points d'ENDURANCE. Les sentinelles s'acharnent sur leurs arbalètes mais, avant qu'elles aient pu recharger, vous avez disparu à l'autre bout de la plage. Bientôt, vous atteignez une petite crique dissimulée où vous découvrez une ancre rouillée. Il s'agit d'un repère placé là par les agents du Roi Sarnac afin d'indiquer la direction de la grotte où ils ont caché votre embarcation et vos provisions. Après avoir trouvé la grotte, vous amenez le bateau sur la plage et vous hissez sa voile noire avant de le pousser dans les eaux glacées des Tentarias. Une fois à bord, vous vous chargez de l'écoute tandis que Prarg prend la barre. Vous êtes poussés par un bon vent et, au bout de quelques minutes, votre frêle esquif danse dans la houle du large, voguant vers l'embouchure du chenal le plus occidental des Marais de l'Enfer, à vingt milles de distance. Vous demandez à Prarg si ce sombre estuaire a un nom, et il vous répond : « Certes. Les Drakkarims l'appellent la Bouche de Dakushna en l'honneur du Seigneur des Ténèbres qui commandait la forteresse de Kagorst. On dit que cela lui va bien car ce passage est aussi traître que celui dont il porte le nom. » Rendez-vous au **60**.

168

Retenant l'oiseau grâce à un ordre mental, vous utilisez votre Grande Maîtrise Kaï pour communiquer avec lui. Ses réponses sont plutôt sommaires, mais vous parvenez à comprendre qu'il a vu un grand nombre de cavaliers vêtus de métal chevaucher vers la rivière en venant du nord. Vous laissez le Corbeau retourner à ses affaires et vous révélez au Capitaine Schera et au Baron Maquin ce qu'il vous a appris. « A mon avis, c'est sûrement une unité de cavalerie Drakkarim qui nous arrive dessus », commente le Baron, aussitôt approuvé par le Capitaine. Sans perdre de temps, les deux officiers font passer le mot à leurs hommes de se dissimuler et de ne plus faire un bruit. Rendez-vous au **71**.

169

Les soupçons du garde s'envolent et il relève sa lance dès qu'il remarque l'Anneau Sigillaire à votre doigt. Cet objet doit être la marque d'un rang élevé dans l'armée de Magnaarn, puisque les deux Tukodaks se figent dans un garde-à-vous impeccable, baissant les yeux avec respect et soumission. Puis ils s'écartent de la porte pour vous laisser entrer dans le temple avec Prarg. Une fois à l'intérieur, vous rendez à votre visage son aspect habituel avant de partir à la recherche de la Pierre Maudite de Dhârk. Rendez-vous au **221**.

170

Vous encochez une flèche avec rapidité et vous couchez en joue les Tukodaks à travers une ouverture de la herse, mais les scélérats poussent aussitôt Prarg devant eux, s'en servant de bouclier humain. A nouveau, la voix cruelle retentit entre les murs du souterrain : « Lâche ton arc, Loup Solitaire, ou j'ordonne à mes gardes d'égorger ton ami ! » Ce ne sont pas des paroles en l'air et, à contrecœur, vous obéissez. Rendez-vous au **200**.

171

Les traits acérés déchirent l'air... pas tout à fait assez vite, toutefois, pour devancer vos réflexes. Du plat de la main, vous donnez à votre compagnon un puissant coup dans le dos, le projetant à plat ventre. Et, dans le même mouvement, vous esquivez le second projectile d'un vif entrechat. Les soldats s'acharnent sur leurs arbalètes dans l'espoir de vous expédier à temps une nouvelle salve mais, à leur profonde déception, vous avez déjà disparu au bout de la plage lorsqu'ils sont à nouveau prêts à tirer. Bientôt, vous atteignez une petite crique dissimulée où vous découvrez une ancre rouillée. Il s'agit d'un repère placé là par les agents du Roi Sarnac afin d'indiquer la direction de la grotte dans laquelle ils ont caché votre embarcation et vos provisions. Après avoir trouvé la grotte, vous tirez le bateau sur la plage et vous hissez sa voile noire avant de le pousser dans les eaux glacées des Tentarias. Une fois à bord, vous vous chargez de l'écoute tandis que Prarg prend la barre. Vous êtes poussés par un bon vent et, au bout de quelques minutes, votre frêle esquif danse dans la houle du large, voguant vers l'embouchure du chenal le plus occidental des Marais de l'Enfer, à vingt milles de distance. Vous demandez à Prarg si ce sombre estuaire a un nom, et il vous répond : « Certes. Les Drakkarims l'appellent la Bouche de Dakushna en l'honneur du Seigneur des Ténèbres qui commandait la forteresse de Kagorst. On dit que cela lui va bien car ce passage est aussi traître que celui dont il porte le nom. » Rendez-vous au **60**.

172

Vous vous laissez tomber sur le dos du lancier qui vide les étriers pour aller rouler au sol, assommé sous le choc. Sans attendre qu'il reprenne ses esprits, vous maîtrisez son cheval effrayé et vous le lancez au grand galop à travers la place. Sans ralentir votre course, vous tirez la lance de son fourreau et vous la pointez sur les rangs des soldats Drakkarims qui vous séparent de l'échafaud... Rendez-vous au **63**.

173

Mettant à profit votre Grande Maîtrise Kaï, vous découvrez des traces durcies par le gel sous la couche de neige. Vous constatez qu'elles ont été laissées par des sabots de chevaux et des roues de chariot, et qu'elles datent d'un peu plus d'une semaine. Il y en a beaucoup plus que vous ne vous attendiez à en trouver à cet endroit, et il est clair qu'elles ne proviennent pas de la garde personnelle de Magnaarn : avant de quitter les abords du temple pour faire route vers l'ouest, il a reçu plusieurs centaines d'hommes en renfort. Au cours de vos recherches, vous découvrez également quelques restes de nourriture bien conservés par le froid que vous vous empressez d'engloutir avec avidité (vous récupérez 3 points d'ENDURANCE). Ayant satisfait votre curiosité et, par la même occasion, votre estomac, vous décidez de quitter la clairière pour suivre les traces de la troupe ennemie vers l'ouest. Si vous maîtrisez la Grande Discipline Magnakaï du Contrôle Animal et si vous avez atteint le rang de Grand Maître Tutélaire (ou un rang supérieur), rendez-vous au **227**. Si vous ne maîtrisez pas cette Grande Discipline ou si vous n'avez pas encore atteint le rang requis, rendez-vous au **131**.

174

La bête est blessée, mais ses puissantes facultés psychiques lui permettent de poursuivre son attaque... Rendez-vous au **297**.

175

Vous escaladez rapidement l'escalier, stimulé par le souffle d'air de plus en plus froid à mesure que vous vous élevez. Vous avez le temps de compter cinquante marches avant d'émerger, dans une salle pleine de décombres. La seule autre issue est obstruée par un amas de gravats et de dalles de marbre fracassées. Ce n'est cependant pas sur cette porte que votre attention se concentre, mais sur un étroit conduit circulaire qui s'ouvre au milieu de la voûte car c'est de là que provient le courant d'air froid. Plein d'espoir, vous vous approchez de l'ouverture du puits. Il est obscur, mais vous pouvez distinguer une faible lueur de jour grisâtre loin au-dessus et entendre le sifflement du vent. Mais vous percevez aussi un autre bruit, tout à fait imprévu, celui-là. Un bourdonnement sourd, un bourdonnement d'insectes. Concentrant vos sens sur la partie obscure du puits, vous découvrez que le bruit provient d'une multitude de nids d'insectes ailés fixés le long de sa paroi. Si vous maîtrisez la Grande Discipline de l'Exploration et si vous avez atteint le rang de Grand Maître Principal, rendez-vous au **240**. Si vous ne maîtrisez pas cette Discipline, ou si vous n'avez pas atteint ce rang, rendez-vous au **281**.

176

Alors que les rares survivants de la meute disparaissent dans la forêt pour aller lécher leurs blessures, vous passez un bras sous les épaules de Prarg qui a récolté maintes morsures aux bras et aux jambes. Vous l'aidez à regagner le bateau. Tout le long du chemin, il ne cesse de vous demander pardon de s'être endormi durant son tour de garde, bredouillant sans relâche les mêmes paroles d'une voix consternée. Vous finissez par lui imposer le silence en lui affirmant sur un ton fraternel que cela aurait tout aussi bien pu vous arriver et que l'essentiel, en fin de compte, est que vous vous en soyez tous deux sortis vivants. De retour au bateau, vous utilisez vos pouvoirs de guérison Kaï pour refermer ses plaies. En peu de temps, vous parvenez à remettre votre compagnon sur pied, mais vos efforts vous laissent sans force : vous perdez 5 points d'ENDURANCE. Rendez-vous au **215**.

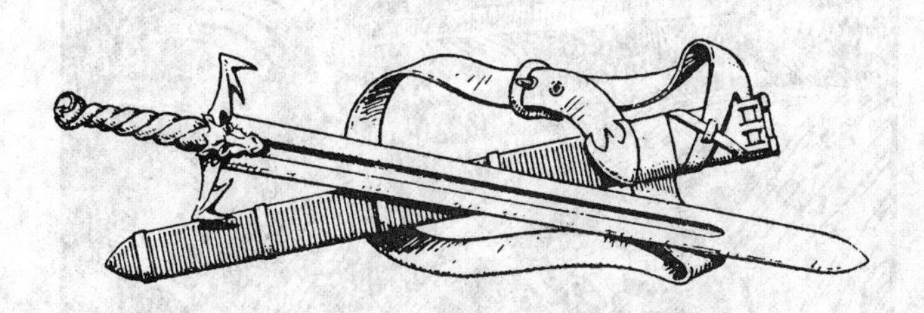

177

Soudain, le sorcier sursaute et laisse échapper un croassement de douleur. Dans ce mouvement involontaire, sa main crochue se dresse vers le ciel et la crépitante

177 *Vous voyez la silhouette du Capitaine Prarg, une épée ruisselante de sang à la main.*

boule de feu qui devait vous rayer du monde des vivants jaillit de son bâton de pouvoir et, dans une explosion, elle va heurter la muraille, où elle creuse un trou de la taille d'un homme ! Lorsque la fumée et la poussière se dissipent, vous voyez apparaître avec stupeur la haute silhouette du Capitaine Prarg, dressée au-dessus du cadavre du sorcier, une épée ruisselante de sang à la main ! Il pousse un cri de victoire, enjambe d'un bond la dépouille recroquevillée du Nadziranim et dévale les marches pour vous aider à vous extirper de l'enchevêtrement des corps. « Quelle heureuse rencontre, messire ! s'exclame-t-il d'une voix émue. Dire que je vous croyais mort et enterré sous les décombres du Temple d'Antah ! » « Et moi de même, cher vieux Prarg, je n'espérais guère vous revoir en vie ! » répliquez-vous en le serrant dans vos bras. « J'ai eu de la chance, avoue-t-il. J'ai réussi à fausser compagnie aux hommes de Magnaarn, et... mais le temps presse, et je crains que le moment et l'endroit ne soient mal choisis pour faire de longs récits. Venez, messire, il ne faut pas rester là. Suivez-moi, il faut faire vite, je sais où se cache le Seigneur de la Guerre ! » Rendez-vous au **36**.

178

La ruelle vous conduit jusqu'à une place où, jadis, les belles demeures de la noblesse Lencienne entouraient une chapelle dédiée à la déesse Ishir, Grande Prêtresse de la Lune. Mais à présent, comme tout le reste de la ville, elle ne porte plus guère de traces de ses origines Lenciennes. Lorsque les Drakkarims se sont emparés pour la première fois de la cité de Ferndour, ainsi qu'elle se nommait alors, toutes les maisons et les édifices publics qui s'y dressaient depuis des siècles furent rasés. A leur place, ils érigèrent de grands dortoirs sans âme et d'affreux baraquements de rondins construits avec le bois de la forêt alentour. Aux places autrefois si pittoresques et aux ruelles tortueuses de l'ancienne ville a succédé un réseau de mornes avenues tracées avec une rigueur toute militaire pour faciliter le passage des hordes Drakkarims. Tapis dans l'encoignure d'un porche, vous voyez un chariot bâché suivi d'une petite troupe de soldats Drakkarims fourbus entrer sur la place par le nord. La colonne tourne à droite et traverse le carrefour en direction d'une avenue allant vers l'ouest et le centre de la ville. Prarg chuchote que le quartier général de Magnaarn se trouve au milieu de la ville et il suggère de suivre ces soldats à la faveur de la pénombre du soir tombant. Mais, avant que vous ayez pu lui répondre, la porte d'une masure s'ouvre à toute volée et trois gros Drakkarims un peu éméchés sortent dans la ruelle. Instinctivement, vous bondissez l'un et l'autre dans la première cachette venue. Prarg se met derrière une pile de tonneaux vides, tandis que vous plongez derrière un tas de planches et de rondins. Au moment où vous touchez le sol, il s'effondre sous votre poids et, horreur ! vous plongez tête la première dans le vide. Vous venez de passer à travers les planches vermoulues d'une trappe pour tomber dans une cave humide... Utilisez la *Table de Hasard*. Si vous maîtrisez la Grande Discipline Magnakaï de l'Art de la Chasse, ajoutez 1 au chiffre que vous tirez.

Si le résultat est inférieur ou égal à 4, rendez-vous au **237**. S'il est supérieur ou égal à 5, rendez-vous au **58**.

179

Vous franchissez la crevasse d'un bond et, malgré les décombres qui jonchent le sol à l'extrémité opposée, vous parvenez à conserver votre équilibre en atterrissant. Avide de prendre votre revanche sur le Seigneur de la Guerre, vous arrachez la tenture derrière laquelle Magnaarn s'est éclipsé, découvrant une courte volée de marches de pierre. Vous vous hâtez de les gravir pour aboutir sur la plate-forme d'une tourelle dressée au sommet de la Tour du Palais, point le plus élevé de la cité de Dhârk. Vous y retrouvez Magnaarn, acculé, pressant son dos tordu contre les créneaux couverts de givre. Vous pouvez sentir qu'il est sur le point de succomber au pouvoir maléfique de la Pierre Maudite, marchant sur un fil entre la vie réelle et celle des morts vivants. Pourtant, bien qu'il soit à un cheveu des affres de la damnation éternelle, il parvient à trouver en lui assez de haine pour vous lancer l'ultime défi d'un duel à mort... « Comme il te plaira, Drakkarim, répondez-vous d'une voix impavide. Que le combat commence ! »

SEIGNEUR
DE LA GUERRE
MAGNAARN HABILETÉ : 50 ENDURANCE : 36

Il est armé du Sceptre de Nyras. Si vous sortez vainqueur de ce combat, rendez-vous **350**.

180

Avec une rapidité fulgurante, vous encochez deux flèches coup sur coup et vous les expédiez droit dans l'abdomen squameux des deux créatures des Marais. Le résultat est immédiat : les deux Ciqualis basculent par-dessus bord en agitant avec frénésie leurs pattes palmées et disparaissent dans l'eau limoneuse. Vous encochez une nouvelle flèche. Vous vous retournez vers votre compagnon qui a perdu son épée et qui affronte un autre monstre dans un farouche corps à corps. Prarg est en fâcheuse posture : son adversaire est, de loin, le plus grand de la bande et son corps musculeux est protégé par une armure formée d'os grossièrement assemblés. Craignant pour la vie du Capitaine, vous bandez votre arc, mais les deux combattants sont si étroitement enlacés que vous n'osez pas tirer de crainte de toucher votre compagnon. C'est alors que la créature assomme à demi Prarg d'un puissant coup de poing qui le jette à genoux et l'écarte ainsi de votre ligne de tir, vous laissant le temps d'ajuster son adversaire. Si vous décidez de viser le Ciquali à la tête, rendez-vous au **111**. Si vous préférez expédier votre flèche dans la poche membraneuse qui entoure sa gorge, rendez-vous au **38**. Si vous choisissez de tirer dans sa poitrine, rendez-vous au **228** (sans oublier de rayer trois flèches de votre carquois).

181

Une vague de douleur vous déchire le corps et un voile sanglant obscurcit votre vision. Les rênes s'échappent de vos mains et vous videz les étriers, tombant lourdement sur la route tapissée de neige. Dans la chute, votre tête heurte le sol de plein fouet et vous perdez connaissance... Vous ne la retrouverez jamais. Les gardes fondent sur vous comme une meute de chacals affamés et vous achèvent sans pitié, vous et votre infortuné compagnon, le Capitaine Prarg. Votre aventure trouve ici sa fin tragique.

182

Prenant à gauche, vous vous élancez dans le couloir venteux quand, bientôt, il tourne à angle droit. Avant que vous ayez pu le retenir, le Capitaine le franchit sans précaution... et se retrouve nez à nez avec un énorme sergent des Chevaliers de la Mort Drakkarims qui laisse échapper un juron dont l'écho se répercute sur les parois de l'étroit corridor. Il dégaine son épée et se rue sur votre imprudent compagnon. Si vous avez un arc et si vous désirez l'utiliser, rendez-vous au **241**. Si vous n'en possédez pas, ou si vous préférez ne pas vous en servir, rendez-vous au **113**.

183

Votre flèche file vers sa cible en sifflant mais, au dernier moment, l'officier se retourne vers l'assemblée des soldats et le trait se brise sur la lame de sa hache sans lui causer le moindre mal. Pendant quelques secondes, il reste stupéfait, incapable de concevoir qu'il ait pu être l'objet d'un attentat au cœur même d'une telle place forte. Puis il tend le doigt vers le silo à grains et se met à hurler comme un dément : « Là-haut ! La fenêtre ! C'est de là qu'on a tiré, bande d'incapables ! » Rendez-vous au **254**.

184

En atteignant la rue principale, vous apercevez le Capitaine Schera qui vous fait signe depuis le seuil d'une auberge en ruine. « Par ici ! crie-t-il. Je crois avoir trouvé quelque chose ! » « Qu'est-ce que c'est ? », demandez-vous en le rejoignant devant les décombres du bâtiment calciné. « Entrez et voyez vous-même », répond-il en s'écartant pour vous laisser franchir une courte volée de marches de pierre qui débouche dans une cave sombre et froide. Rendez-vous au **197**.

185

Touché à mort, le chef de vos assaillants laisse échapper un gargouillis avant de tomber par-dessus bord et de couler à pic. Les autres Ciqualis, privés de leur chef, abandonnent le combat et disparaissent aussi vite qu'ils avaient surgi, se laissant glisser avec des bruits visqueux vers leurs froides tanières aquatiques. Le silence revient à la surface, mais vous restez aux aguets un long moment, craignant qu'il ne s'agisse d'une ruse, avant de pousser un profond soupir de soulagement en comprenant que ces monstres sont bel et bien partis. Grâce à sa robuste constitution et avec l'aide de vos pouvoirs de guérison, Prarg se remet rapidement de tous les mauvais coups qu'il a reçus au cours de son rude combat avec le chef Ciquali. Quant à votre esquif, il a plutôt bien tenu le choc, ce qui vous permet de vous remettre en route sans plus tarder. Aussitôt l'obstacle contourné, vous hissez la voile et, poussés par les vents favorables, vous remontez le canal vers le nord. Cette rencontre imprévue et mouvementée vous a creusé l'estomac, vous devez prendre un Repas pour éviter de perdre 3 points d'ENDURANCE. Rendez-vous ensuite au **322**.

186

Sans perdre une seconde, vous vous penchez sur la blessure de votre compagnon, utilisant vos pouvoirs de guérison Magnakaï pour neutraliser le poison. La rapidité de votre réaction lui sauve la vie, mais elle vous coûte 2 points d'ENDURANCE. Rendez-vous au **325**.

187

Vous vous enfoncez dans les bois d'un bon pas. Dans cette partie de la Forêt de Tozaz, la couche de neige est mince grâce à la protection qu'offrent les branches touffues des résineux serrés les uns contre les autres. Vous pouvez progresser rapidement. Vous marchez depuis une heure quand vous vous immobilisez en sentant quelque chose de glacé vous dégouliner dans le cou. Intrigué, vous levez la tête et vous êtes soudain transformé en bonhomme de neige par une avalanche tombée d'une branche. Alors que vous vous ébrouez en pestant, Prarg éclate de rire et vous avez le temps de voir un oiseau aux ailes grises – à coup sûr le responsable de votre mésaventure – s'envoler vers l'ouest dans un grand bruit d'ailes... « Par tous les dieux, j'ai si faim que je serais capable d'avaler un cheval avec sa selle et ses sabots ! s'exclame votre compagnon en reprenant son sérieux. Je serais prêt à donner n'importe quoi pour une bonne platée de bœuf aux haricots. » Vous vous rendez compte que le Capitaine n'a rien mangé depuis que vous êtes entrés dans Shugkona et que toutes les épreuves qu'il a subies au cours de sa captivité et de son évasion ont épuisé ses réserves d'énergie. A moins d'absorber rapidement quelque nourriture, il sera bientôt incapable d'aller plus loin. S'il vous reste au moins un Repas, rendez-vous au **68**. Sinon, rendez-vous au **282**.

188

Vous vous éveillez aux premières lueurs de l'aube et vous entreprenez de fouiller toutes les cabanes. Mais, au bout du compte, vous constatez qu'elles ont été pillées par les Gloks, ou bien vidées au préalable de leur contenu, et qu'elles ne contiennent à peu près rien qui puisse vous être utile. Néanmoins, vous parvenez à dénicher assez de restes de nourriture préservés par le froid pour constituer un petit déjeuner presque décent : vous récupérez 3 points d'ENDURANCE. Après vous être restauré, vous rassemblez votre équipement et vous reprenez votre route vers l'ouest le long de la rive du fleuve. Le morne paysage blanc et noir est parcouru par la plainte lugubre du vent ponctuée de temps en temps de lointains croassements de corbeaux. Un peu moins de dix kilomètres en aval du fleuve, vous apercevez une cabane sur la rive. Vous y pénétrez sans grand espoir, imaginant qu'elle sera aussi vide que toutes celles que vous avez fouillées au point de passage du bac. Aussi sautez-vous presque de joie en découvrant une petite barque et deux avirons, le tout en excellent état ! Stimulé par cette trouvaille, vous vous hâtez de tirer l'embarcation jusqu'au fleuve et de monter à bord, avant de poursuivre votre route vers Dhârk par la voie des eaux. Utilisez la *Table de Hasard*. Si le chiffre que vous tirez est inférieur ou égal à 4, rendez-vous au **73**. S'il est supérieur ou égal à 5, rendez-vous au **293**.

189

Prarg vous fait décrire un large détour pour éviter de courir le risque de vous jeter dans les bras de l'ennemi. Ce changement imprévu vous entraîne dans une partie de la forêt jusqu'alors inexplorée par votre guide et si accidentée que votre progression s'en ressent. Vous n'avez guère parcouru plus de dix kilomètres quand la lumière déclinante du crépuscule et la crainte de tomber sur une patrouille ennemie vous obligent à faire halte pour dresser votre bivouac. Réfugiés dans les branches supérieures d'un arbre, vous vous encordez au tronc avant de vous coucher tant bien que mal pour dormir. Mais vous êtes trop affamé pour fermer l'œil et, à moins de maîtriser la Grande Discipline de l'Art de la Chasse, il faut absorber sans délai un Repas ou perdre 3 points d'ENDURANCE. Rendez-vous au **90**.

190

Rassemblant vos facultés psychiques, vous concentrez au cœur de votre esprit trois noyaux ardents d'énergie pure dont la taille et la force ne cessent de croître jusqu'à former une grappe de boulets chauffés à blanc pendant que les Gorodons se rapprochent de vous. Face à vous, les monstres se ruent à la curée. Ils abaissent leurs énormes têtes pour vous embrocher sur leurs terribles cornes et forcent l'allure, labourant les hauts-fonds en soulevant des gerbes d'eau et de vase. Ils sont presque sur vous quand vous projetez les trois bombes d'énergie psychique directement dans leur cervelle primitive. L'effet est spectaculaire : les Gorodons s'effondrent en pleine course comme si trois gigantesques marteaux invisibles s'étaient abattus sur leur crâne ! Dans un ensemble presque parfait, ils piquent du nez et leurs cornes vont se planter dans la vase pendant que leurs énormes corps, emportés par leur élan, basculent à la renverse pour s'écraser sur le dos. Pendant quelques secondes, les trois monstres sont secoués de spasmes. Puis, ils se raidissent et cessent à jamais de bouger. Malgré sa puissance, ce n'est pas votre assaut psychique qui a causé leur mort, c'est le poids énorme de leurs corps : leur épine dorsale n'a pu résister à leur chute ! Rendez-vous au **284**.

191

Enjambant le cadavre sanglant du Chevalier de la Mort, vous vous élancez dans le corridor, suivi de près par Prarg. Bientôt, une nouvelle intersection vous offre le choix entre deux directions : la gauche et la droite.

Déployant vos pouvoirs Kaï, vous détectez aussitôt une présence maléfique à droite. Il vous suffit de vous concentrer un instant sur la source de ces ondes néfastes pour avoir la certitude qu'il s'agit de la Pierre Maudite. Vous prévenez Prarg et, plus que jamais sur vos gardes, vous longez ensemble le couloir jusqu'à une porte close. Si vous maîtrisez la Grande Discipline de l'Art de la Chasse ou la Grande Discipline de l'Exploration, rendez-vous au **214**. Si ce n'est pas le cas, rendez-vous au **229**.

192

Un vaste lac gelé s'étend devant vous, large de près de deux kilomètres depuis le point où vous vous trouvez. Un vent glacé le balaie, soulevant des tourbillons de neige. Gardant le silence, vous laissez votre regard errer sur la ligne des arbres qui s'étend sur la rive opposée, l'esprit envahi par le doute. Vous savez que le Temple d'Antah se trouve quelque part dans cette direction. Et vous savez aussi que le chemin le plus court pour l'atteindre passe par ce lac gelé. Mais cet itinéraire n'offre aucune couverture en cas d'attaque et vous ignorez si la glace est assez solide pour supporter votre poids. Cependant, contourner le lac vous coûterait de précieuses heures qui pourraient permettre à vos ennemis de vous rattraper et de vous tomber dessus... Finalement, vous décidez de courir le risque de traverser le lac. Dans un premier temps, vous vous félicitez de votre choix, car sa surface gelée vous permet de progresser rapidement. Mais en approchant du milieu du lac, vous commencez à percevoir le danger... Si vous maîtrisez la Grande Discipline de l'Exploration et si vous avez atteint le rang de Grand Maître Principal, ou un rang supérieur, rendez-vous au **55**. Sinon, rendez-vous au **37**.

193

En entamant la descente, vous constatez que la paroi du gouffre est praticable. Vous progressez sans rencontrer de véritable difficulté, et la hauteur qui vous sépare du lit du torrent diminue... Mais, brusquement, vous vous retrouvez confronté à une roche sèche et friable et vous êtes bien en peine de trouver la moindre prise... Utilisez la *Table de Hasard*. Si vous maîtrisez la Grande Discipline Magnakaï de l'Art de la Chasse, ajoutez 2 au chiffre que vous tirez. Si vous disposez d'une corde, ajoutez 1. Si vous avez atteint le rang de Grand Maître Tutélaire ou un rang supérieur, ajoutez 1 au chiffre tiré dans la *Table de Hasard*. Si le résultat est inférieur ou égal à 6, rendez-vous au **210**. S'il est supérieur ou égal à 7, rendez-vous au **114**.

194

Alors que les traits fusent sur vous et votre compagnon, vous lui donnez un coup dans le dos qui l'envoie bouler en avant et lui évite d'être transpercé par le premier carreau d'arbalète. Mais, si votre réflexe lui sauve la vie, il ne vous laisse pas le temps d'esquiver le second projectile qui trace un sillon sanglant dans votre mollet avant d'achever sa course dans le sable : vous perdez 4 points d'ENDURANCE. Rendez-vous au **273**.

195

Ramassant la lance du Drakkarim tombé de son destrier, vous enjambez son cadavre et vous sautez en selle. Puis vous saisissez les rênes d'une seule main et vous lancez votre monture au galop à travers la place en pointant la lance sur le dos des soldats alignés face à l'échafaud... Rendez-vous au **63**.

196

Vos sens détectent dans l'air humide les traces d'une odeur malsaine. C'est celle d'une bête hostile qui, bien qu'elle ne soit pas tapie dans cette salle, ne se trouve pas bien loin... Vous vous dirigez avec précaution vers une arche voûtée qui s'ouvre dans le mur opposé de la pièce en prenant garde de ne pas tomber sur le sol jonché de décombres. Pénétrant sous l'arche, vous vous retrouvez dans un court passage. Il débouche sur un tunnel perpendiculaire de plus grande taille qui court d'est en ouest. L'odeur de l'animal est plus forte ici et elle vient du côté du passage orienté à l'ouest. Sans estimer nécessaire de vous creuser la tête plus longtemps pour choisir la direction à suivre, vous vous engagez dans la section est du tunnel. Rendez-vous au **26**.

197

Parvenu au bas des marches, vous apercevez dans un angle de la cave une paire de bottes couvertes de poussière et de sang qui dépasse d'un amas de décombres provenant du rez-de-chaussée effondré. En vous approchant, vous découvrez que ces bottes appartiennent à un soldat Lencien grièvement blessé. Avec l'aide de

Schera, vous dégagez le malheureux du tas de débris qui le cloue au sol puis, grâce à vos pouvoirs de guérison, vous entreprenez de soulager ses blessures. Au bout de quelques minutes, l'homme retrouve assez de lucidité pour bredouiller son nom : Hul Sendal. A vous deux, vous parvenez à le porter jusqu'à la rivière et à l'installer aussi confortablement que possible dans votre bateau. Entre-temps, les hommes du Capitaine sont parvenus à dégager un espace suffisant entre les épaves pour permettre à votre flottille de franchir l'obstacle en file indienne et, pendant que votre voyage au fil de l'eau se poursuit, vous continuez d'apporter vos soins au soldat blessé, impatient de l'interroger. Lorsqu'il se trouve enfin en état de parler, il décrit la bataille au cours de laquelle son régiment a été anéanti, il vous dit comment Magnaarn a réduit la ville en cendres grâce à son Sceptre diabolique, et il vous explique enfin comment il est parvenu à survivre pendant les six derniers jours en absorbant quelques poignées de neige... Son récit de la bataille est terrifiant et, par-dessus tout, il vous fait craindre qu'il ne soit d'ores et déjà trop tard pour empêcher le Seigneur de la Guerre de chasser les Lenciens de Dhârk... Rendez-vous au **208**.

198

Dégainant votre arme, vous vous ruez sur le soldat pour le réduire au silence.

SERGENT
DRAKKARIM HABILETÉ : 32 ENDURANCE : 29

En raison de la soudaineté de votre attaque, ne tenez pas compte des points d'ENDURANCE que vous pourriez perdre au cours du premier Assaut. Si vous êtes vainqueur, rendez-vous au **53**.

199

Vous esquivez sans mal les projectiles mais, en vous jetant au sol, vous avez la malchance de vous entailler la paume des mains sur le tronc d'un arbre abattu : vous perdez 1 point d'ENDURANCE. Rendez-vous au **141**.

200

Émergeant du passage secret, le Seigneur de la Guerre Magnaarn s'avance face à vous. L'homme est doté d'un physique impressionnant. Non qu'il soit d'une taille exceptionnelle – il ne mesure guère plus d'un mètre quatre-vingts – mais sa carrure et sa corpulence, elles, le sont ! Son corps massif et musculeux est moulé dans une armure d'une facture remarquable, et surmonté d'un visage adipeux dont la grossièreté est accentuée par la présence d'une balafre fraîche courant en diagonale de la racine de ses cheveux roux au lobe de l'oreille gauche. D'un pas lourd, il s'approche de la herse en vous toisant avec arrogance. Un instant, vous songez à lui porter une fulgurante attaque psychique mais, avec horreur, vous percevez qu'il est entouré d'un champ d'énergie si puissant qu'il aspire vos forces mentales ! Plongeant la main dans une poche de son manteau, le sinistre personnage en retire une grosse gemme noire et la brandit sous votre nez avec un rictus triomphant. Vous pouvez voir de lui-

200 *Émergeant du passage secret, le Seigneur de la Guerre Magnaarn s'avance face à vous.*

santes veines écarlates onduler et palpiter au cœur de cette pierre comme si une vie propre l'animait. Par vagues successives, une atroce sensation de vertige se répand dans tout votre être et vous tombez à genoux alors que le pouvoir de la Pierre Maudite de Dhârk vous submerge et vous ôte toute force et toute volonté... « Je t'attendais, Loup Solitaire, profère Magnaarn d'un ton méprisant. J'ai su quel était ton plan dès l'instant où mes espions m'ont averti de ton arrivée à Vadera. Un seul motif pouvait expliquer la venue en Lencia de l'illustre Grand Maître Kaï... Et pourtant, comme tu peux le voir, Grand Maître, tu arrives trop tard ! » Magnaarn se tourne alors vers ses gardes Tukodaks et leur donne l'ordre d'emmener Prarg. Vous tentez de protester, mais vous n'arrivez même pas à trouver assez de force en vous pour permettre aux mots de franchir votre bouche, ce qui semble amuser Magnaarn au plus haut point. « Écoute-moi bien, Grand Maître, ajoute-t-il. Maintenant que je possède cette pierre de pouvoir, rien ni personne ne pourra se mettre en travers de mon chemin. Le seul qui pouvait s'opposer à mon triomphe, l'unique menace que je pouvais redouter, c'était toi. Mais cette menace n'en sera bientôt plus une. » Sur ces mots, Magnaarn s'écarte de la herse et tourne les talons pour suivre ses gardes qui entraînent Prarg dans le passage secret. « Adieu, Grand Maître ! ricane-t-il d'un air sardonique en se retournant une dernière fois avant de disparaître derrière le mur coulissant. Et n'oublie pas mes premières paroles : bienvenue dans ta tombe ! » Rendez-vous au **43**.

201

Votre flèche frappe sa cible avec une précision mortelle. Laissant tomber la hache, l'officier titube et empoigne l'extrémité du trait qui lui traverse la gorge de part en part. Il ouvre la bouche pour crier, mais aucun son n'en sort, et il s'effondre sur la plate-forme de l'échafaud. Pendant quelques instants, la foule des soldats reste figée de stupeur, puis une voix se met à hurler : « Là-haut ! C'est de là que la flèche est partie ! » Rendez-vous au **336**.

202

Vos sens infaillibles détectent une présence sur la crête de la colline et vous apercevez un reflet de lune sur une surface d'acier. D'un murmure, vous prévenez Prarg et vous vous mettez tous deux à couvert parmi les rochers. Le cœur battant, vous voyez deux sentinelles Lenciennes aux yeux inquisiteurs quitter leur poste pour descendre vers le rivage. Après avoir fouillé la plage un moment, elles finissent par secouer la tête et font demi-tour pour regagner leur poste. Pendant que les deux hommes remontent la pente de la colline en vous tournant le dos, vous en profitez pour détaler avec Prarg. Rendez-vous au **273**.

203

Les narines emplies de l'âcre puanteur de vos vêtements rongés par l'acide, vous vous agenouillez devant la porte et vous entreprenez de crocheter la vieille serrure. Le mécanisme se révèle assez simple et vous en venez à bout en moins d'une minute. Cependant, avant que vous ayez pu quitter cette salle, le déluge d'acide a commencé à s'attaquer à votre Sac à Dos et à votre équipement. Rayez de votre *Feuille d'Aventure* les objets inscrits en première et quatrième position sur la liste du Contenu de votre Sac à Dos. Rayez également un Objet Spécial de votre choix ou votre arc (si vous en possédez un). Rendez-vous au **11**.

204

Une idée audacieuse germe dans votre esprit. Grâce à votre Grande Maîtrise Kaï, vous modifiez l'apparence de votre visage pour lui donner l'expression féroce d'un guerrier Drakkarim. En découvrant votre brusque changement de physionomie, Prarg sursaute d'effroi, mais vous le rassurez en lui expliquant que ce n'est qu'un camouflage grâce auquel vous allez pouvoir vous introduire dans le temple. Votre plan est simple : Prarg devra se faire passer pour votre prisonnier et vous vous présenterez aux sentinelles en déclarant que vous arrivez de Shugkona sur ordre de Magnaarn en personne... Approuvant votre stratagème, votre compagnon place ses mains dans le dos, comme s'il avait les poignets liés, et vous vous dirigez vers les portes du temple en le poussant devant vous. Quand vous êtes près des portes, vous hélez les deux gardes, leur annonçant en dialecte Glok que le Seigneur Magnaarn a ordonné qu'on lui amène ce prisonnier. Mais les Tukodaks se montrent hésitants. Ils n'ont pas connaissance d'un tel ordre, ce qui les rend soupçonneux. Pendant que vous gravissez la rampe, une des sentinelles brandit sa lance et la pointe de façon menaçante sur votre poitrine. Si vous possédez un Anneau Sigillaire, rendez-vous au **169**. Sinon, rendez-vous au **57**

205

Votre ouïe sensible détecte un léger bruit de pierre frottant contre la pierre. Vous remarquez qu'une rangée de meurtrières commence à s'ouvrir à hauteur de poitrine dans les deux murs du passage, révélant des pointes de lance enduites de poison. « A plat ventre ! » hurlez-vous en plongeant vers le sol. Un instant plus tard, une double volée de traits jaillit des murs et se fracasse contre la pierre avant de retomber en morceaux sur le sol. Votre réflexe foudroyant vous a sauvés l'un et l'autre d'une mort certaine, mais l'une des lances ricoche et sa pointe entaille l'épaule de Prarg. Rendez-vous au **186**.

206

Le garde tombe à la renverse au fond de la tranchée, hurlant comme un possédé : « Gaz Rekenarim ! Gaz Rekenarim ! »A ces cris, les autres Drakkarims sautent sur leurs pieds et empoignent leurs lances tandis que vous bondissez par-dessus le parapet. Une lance vous entaille la jambe et une autre ouvre une profonde plaie dans votre épaule : vous perdez 4 points d'ENDURANCE. « Pour Sarnac et Lencia ! » rugit Prarg alors que vous atterrissez côte à côte dans la tranchée pour engager un combat sans merci avec ces quatre féroces Drakkarims.

GUERRIERS
DRAKKARIMS HABILETÉ : 29 ENDURANCE : 30

Si vous êtes victorieux, rendez-vous au 4.

207

Invoquant le sortilège de la Main de Feu, vous pointez l'index droit sur le trou de la serrure. Un fourmillement vous envahit le bras tout entier, de l'épaule au bout des ongles, augmentant d'intensité jusqu'à devenir une foudroyante décharge qui fuse vers la serrure. Utilisez la *Table de Hasard*. Si votre total d'ENDURANCE est supérieur ou égal à 20, ajoutez 1 au chiffre que vous tirez. Si le résultat est inférieur ou égal à 7, rendez-vous au **147**. S'il est supérieur ou égal à 8, rendez-vous **255**.

208

A l'ouest d'Odnenga, le fleuve décrit quelques méandres en traversant la plaine enneigée du Nyras méridional. Le paysage est désert, mais le Capitaine ordonne quand même à ses hommes de rester sur le qui-vive chaque fois que les bateaux passent au large d'un bosquet rabougri ou d'un taillis de sapins. A la fin de l'après-midi, alors que la lumière du jour décline, vous arrivez dans une région boisée où le Shug coule entre deux berges encaissées. Les arbres poussent tout au bord des rives escarpées, et leurs racines visibles plongent dans les eaux glacées du fleuve comme des sarments de vigne sauvage. Lorsque vous observez la rive gauche, vos sens aiguisés perçoivent une menace d'embuscade. Vous prévenez le Capitaine qui ordonne aussitôt d'accoster. Vous êtes le plus qualifié pour cette mission, vous vous portez donc volontaire pour partir en éclaireur dans les bois à la recherche de ce qui a suscité en vous cette sensation de danger. Schera accepte votre offre avec gratitude, puis il appelle trois de ses hommes, trois éclaireurs expérimentés, afin qu'ils vous accompagnent pendant qu'il gardera les bateaux avec le reste de la troupe en attendant votre retour. Utilisez la *Table de Hasard*. Si vous maîtrisez la Grande Discipline de l'Exploration, ajoutez 3 au chiffre que vous tirez. Si le résultat est inférieur ou égal à 4, rendez-vous au **81**. S'il est supérieur ou égal à 5, rendez-vous au **275**.

209

A l'instant où vous entrez en collision avec les sentinelles, votre arme s'abat en sifflant sur la tempe de l'une d'elles, lui fracassant le crâne. Mais, au même moment, ses deux compagnons répliquent et vous assènent de furieux coups de lance qui vous infligent de profondes blessures à la jambe et à la poitrine : vous perdez 8 points d'ENDURANCE. Si votre total d'ENDURANCE est maintenant inférieur ou égal à 15, rendez-vous au **181**. S'il est supérieur ou égal à 16, rendez-vous au **301**.

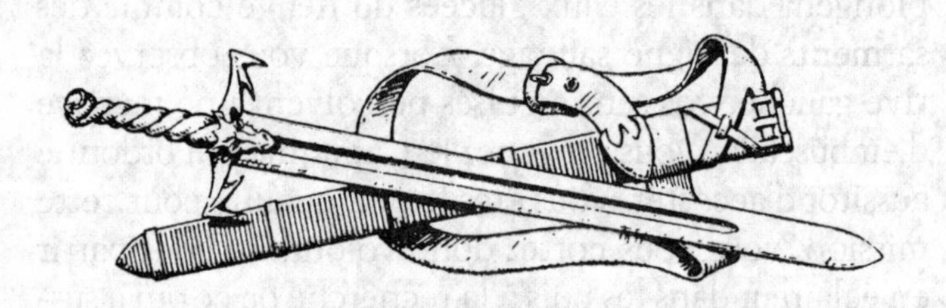

210

Vous êtes presque parvenu au bout de cette périlleuse portion de paroi lorsque vous commettez une infime erreur de jugement. Alors que vous tendez le bras gauche pour prendre appui sur une saillie, le rebord de roche friable qui soutenait la pointe de votre botte gauche cède sous votre poids ! Vous tentez désespérément de vous rattraper à d'autres prises, mais il est déjà trop tard. Basculant en arrière, vous plongez en tournoyant lentement vers le fond du gouffre avant de vous écraser sur les rochers et les galets qui bordent le torrent. Votre mort est instantanée. Le Seigneur de la Guerre Magnaarn aura donc eu raison : le Temple d'Antah est devenu votre tombe...

211

Vous vous ruez vers Prarg tout en débouclant votre Sac à Dos. Parvenu aussi près du bord du trou que la solidité de la croûte gelée vous le permet, vous écartez les débris de glace et vous ouvrez en hâte votre Sac pour en sortir votre rouleau de corde. Paralysé par le froid, Prarg est sur le point de couler à pic ; déjà, c'est à peine s'il parvient à maintenir sa tête à la surface. Sans perdre une seconde de plus, vous lui lancez une des extrémités de la corde et, par miracle, il la saisit du premier coup malgré ses doigts gelés, puis il s'y cramponne assez fort pour vous permettre de l'extraire de l'eau glacée. La peau du malheureux a pris une teinte violette et tout son corps est secoué de frissons. Au moins est-il toujours en vie. Utilisant vos pouvoirs de guérison, vous insufflez une partie de votre chaleur en apposant les mains sur sa poitrine et son visage et, en quelques minutes, il recouvre sa température normale. Votre réaction rapide lui a sauvé la vie, mais elle vous a également coûté 3 points d'ENDURANCE. Modifiez votre total d'ENDURANCE en conséquence et rendez-vous au **157**.

212

Vous ingurgitez en hâte la substance salvatrice et, au bout de quelques secondes, vous sentez avec soulagement vos forces revenir. Vous secouez ensuite la tête avec énergie et, dès que votre vision est à nouveau claire, vous vous approchez de la porte circulaire afin d'examiner de plus près l'étrange serrure octogonale. Elle est pourvue au centre d'une entrée de clef entourée de huit cases toutes gravées d'un nombre, à l'exception de l'une d'elles. Votre expérience vous indique qu'il s'agit là d'une double serrure combinée, qu'on peut ouvrir soit à l'aide d'une clef, soit en tapotant sur la case vierge le nombre qui manque dans la série. Si vous possédez une Clef Verte, rendez-vous au **304**. Sinon, rendez-vous au **89**.

213

Passant au crible les étagères, les caisses et le fourniment du Commandant Drakkarim, vous découvrez les objets suivants :
Un poignard
Une épée
Deux doses de Potion de Laumspur (chacune permet de récupérer 4 points d'ENDURANCE)

Un sablier
Un anneau sigillaire
Un arc
Trois flèches
Une clef de laiton
Si vous désirez emporter un ou plusieurs de ces objets, n'oubliez pas de modifier en conséquence votre *Feuille d'Aventure*. Ensuite, rendez-vous au **277**.

214

Vos sens Kaï vous révèlent soudain que vous venez de déclencher un piège en approchant de cette porte ! Hurlant une mise en garde à Prarg, vous vous jetez au sol, imité par votre compagnon, avec une remarquable promptitude. Dans la seconde qui suit, plusieurs lames d'épée jaillissent de fentes pratiquées dans les murs et fendent l'air quelques dizaines de centimètres au-dessus de vos têtes. Puis, elles se rétractent et se verrouillent dans leurs logements en cliquetant. Lorsque vous êtes certain que le piège ne vous menace plus, vous vous relevez et vous allez examiner la porte de plus près. Rendez-vous au **307**

215

Vous vous levez avec l'aube et vous prenez un rapide petit déjeuner avant de partir. Au bout d'une petite heure, vous êtes prêts à entamer votre marche vers la place forte de Shugkona mais, auparavant, vous devez encore vous débarrasser de votre bateau. Après l'avoir vidé de toutes les provisions qui lui seront nécessaires, Prarg perce plusieurs trous dans le fond de sa coque.

Puis, vous poussez tous deux l'embarcation vers le milieu de la rivière et vous la regardez couler. Dès qu'elle a disparu sous les eaux, vous quittez la berge pour vous enfoncer sous les arbres. Dans les profondeurs de la forêt, la couche de neige est mince et légère grâce à la protection qu'offre l'épaisse voûte de branchages entremêlés qui surplombe le sol, et votre progression se révèle plus facile que prévu. Vous êtes aussi frappé par la beauté de ces bois touffus en hiver, par les réseaux de stalactites cristallines qui ornent les majestueuses branches aux épines vert-bleu, par les ruisseaux et les chutes d'eau figés par le gel. Mais, en dépit de votre admiration, vous ne perdez jamais conscience des dangers que cette nature sauvage peut receler. Prarg ouvre la route, et vous progressez en suivant les repères camouflés placés par les éclaireurs Lenciens au cours de précédentes missions derrière les lignes ennemies. Grâce à cet ingénieux système de signes cachés, il parvient à vous guider en toute sécurité, évitant les nombreux postes avancés Drakkarims et les chemins de patrouille qui sillonnent la forêt. Il est presque midi et vous avez déjà couvert plus de trente kilomètres quand le Capitaine vous fait signe de faire halte. Il a aperçu quelque chose d'imprévu : un petit rectangle de métal orangé cloué sur un tronc. « C'est un signal Drakkarim, annonce-t-il après l'avoir examiné. Ils s'en servent pour baliser le périmètre de leurs camps forestiers. Et, comme il n'était pas là la dernière fois que j'y suis passé, je suppose qu'ils ont établi un nouveau poste avancé quelque part à proximité. » « A quelle distance ? » l'interrogez-vous. « Un kilomètre tout au plus. » Vous restez un moment immobile, écoutant le silence de la forêt. Vous fermez les yeux pour vous concentrer sur vos pouvoirs auditifs et vous détectez bientôt des bruits venant du nord. Ce sont des sons nombreux et mêlés, aussi ne parvenez-vous pas à en discerner l'origine. Si vous voulez chercher à découvrir la source de ces bruits, rendez-vous au **65**. Si vous jugez préférable d'éviter de vous en approcher, rendez-vous au **189**.

216

D'un pas obstiné, vous vous frayez un chemin à travers l'épaisse forêt, suivant vers l'ouest les rares traces qui subsistent du passage des troupes de Magnaarn. Le crépuscule tombe bientôt, accompagné d'une nouvelle chute de neige qui complique un peu plus votre progression. Votre estomac crie famine et, si vous ne maîtrisez pas la Grande Discipline de l'Art de la Chasse, vous devez prendre un Repas pour éviter de perdre 3 points d'ENDURANCE. Rendez-vous ensuite au **103**.

217

Les yeux rouges de la bête se dilatent et une vague d'énergie psychique cherche à vous hypnotiser. Votre maîtrise de la Grande Discipline de l'Écran Psychique vous permet de repousser ce pouvoir mental primitif, mais ce n'est pas le cas de Prarg. Les yeux fixes, raide comme un piquet, il ne fait pas un geste pour tenter d'échapper à l'animal qui passe à l'attaque. Si vous maîtrisez la grande Discipline du Contrôle Animal et si vous désirez y faire appel, rendez-vous au **331**. Si vous maîtrisez la Grande Discipline du Foudroiement Psychique et si vous désirez l'utiliser, rendez-vous au **9**. Si vous maîtrisez la Grande Discipline de l'Alchimie Kaï, et si vous désirez l'utiliser, rendez-vous au **152**. Si vous ne maîtrisez aucune de ces Grandes Disciplines Magnakaï ou si vous ne voulez pas y faire appel, rendez-vous au **121**.

218

La créature secoue sa tête abominable et laisse échapper un cri perçant. Sa faim dévorante et ses instincts meurtriers se révélant plus forts que votre commandement psychique, elle bondit en brandissant ses poignards primitifs, les yeux brûlants de rage. Vous avez juste le temps de sauter en arrière pour vous préparer à vous défendre avant que le monstre s'abatte sur vous...

CHASSEUR
SOUTERRAIN HABILETÉ : 43 ENDURANCE : 48

Si vous sortez vainqueur de ce combat, rendez-vous au **162**

219

Il vous faut un certain temps pour vous dégager de l'enchevêtrement des grosses pattes velues et des pesantes carcasses des Sangliers de Guerre Nad-Jaguz. Lorsque vous y parvenez enfin, tout meurtri et souillé de leur sang, vous voyez le Capitaine Prarg escalader l'escalier de la tour, l'épée au poing. Vous comprenez sur-le-champ ce qu'il a l'intention de faire : réduire au silence le garde de la tour avant qu'il ait pu donner l'alerte. Si vous décidez de suivre Prarg, rendez-vous au **130**. Si vous préférez entrer dans la tour par le panneau ouvert d'où les Sangliers de Guerre sont sortis, rendez-vous au **306**.

220

Vous vous approchez de la porte et vous examinez la serrure. Elle se révèle être d'une conception tout à fait originale dont vous n'aviez jamais rencontré l'équivalent. Elle semble faite en argent massif et le trou est lisse et circulaire. Si vous possédez un Bâton d'Argent, rendez-vous au **27**. Si vous ne possédez pas cet Objet Spécial, rendez-vous au **290**.

221

Derrière les portes, vous découvrez un vaste hall sonore chichement éclairé par un cercle de torches qui brûlent mal dans la pénombre humide. L'atmosphère est saturée par un pouvoir maléfique, pouvoir dont les ondes néfastes émanent de quelque part très loin sous le sol. Juste à droite, une échelle monte vers le sommet de la tour et, à gauche, un large escalier plonge dans ses profondeurs. Tous vos sens réagissent lorsque vous vous approchez de cette cage d'escalier, mais vous décidez cette fois d'ignorer leur mise en garde. Car la source de l'aura maléfique qui imprègne cet endroit n'est autre, vous en êtes certain, que l'objet même que vous avez juré de détruire : la Pierre Maudite de Dhârk ! L'escalier descend jusqu'à un long corridor sinueux éclairé par des torches. Il traverse une succession de chambres étroites, toutes vides et à l'abandon. Finalement, vous arrivez devant une grande porte de fer et vous faites halte un moment pour examiner les complexes motifs gravés qui ornent la surface noircie par les ans de son lourd battant. Bien vite, vous vous rendez compte qu'ils n'ont pas une simple fonction ornementale, mais que ce sont des éléments d'une serrure à combinaison des plus sophistiquées. Ils représentent un groupe de dragons entrelacés surmontant un cadran gravé de chiffres anciens. Chaque dragon porte sur le front un nombre du même type que ceux du cadran. Vos sens vous indiquent que ces nombres constituent une énigme, dont la solution est la « clef » qui ouvre cette porte. Lorsque vous aurez découvert cette solution, il vous suffira de faire tourner le cadran jusqu'au nombre correspondant, et la serrure se débloquera. Quand vous penserez avoir trouvé la solution, rendez-vous au paragraphe correspondant au numéro. Si votre réponse est manifestement erronée ou si vous ne parvenez pas à résoudre l'énigme, rendez-vous au **70**.

222

Le charretier adresse un salut bourru aux gardes des grandes portes. Ils les ouvrent sur-le-champ, laissant entrer le chariot sans discuter. Vous restez dissimulé sous la paille jusqu'à ce que l'attelage ralentisse et s'immobilise. Vous levez alors la tête avec d'infinies précautions et vous jetez un coup d'œil furtif alentour, découvrant que vous avez fait halte dans une ruelle boueuse qui court entre une armurerie et des écuries. La ruelle débouche sur une vaste place qui a été transformée en camp de prisonniers de guerre. Il est entouré d'une grossière enceinte de fil de fer barbelé et de pieux aiguisés le long de laquelle patrouillent des sentinelles et des Chiens de Guerre Akataz. D'après le peu que vous pouvez en voir, au moins deux cents Lenciens y sont parqués. Leurs conditions de captivité sont révoltantes : ils sont entassés en plein air, sans le moindre abri ni la plus petite source de chaleur et, à en juger par leur état, les Drakkarims semblent décidés à les faire mourir de faim. Rempli de colère, vous vous jurez de faire tout ce qui est en votre pouvoir pour ces malheureux. Vous vous laissez glisser sans bruit de l'arrière du chariot et vous vous dissimulez dans l'ombre de la ruelle en attendant une occasion de vous approcher de l'enclos et d'entrer en contact avec les Lenciens. Rendez-vous au **150**.

223

Si vous avez atteint le rang de Grand Maître Tutélaire ou un rang supérieur, rendez-vous au **127**. Si vous n'avez pas encore atteint ce rang de Grande Maîtrise Kaï, rendez-vous au **204**.

224

Au début, l'ascension semble aisée mais, en approchant de la corniche, vous vous retrouvez sur une portion de paroi où la roche, sèche et friable, offre peu de prises. Utilisez la *Table de Hasard*. Si vous maîtrisez la Grande Discipline de l'Art de la Chasse, ajoutez 2 au chiffre que vous tirez. Si vous avez atteint le rang de Grand Maître Tutélaire, ou un rang supérieur, ajoutez 1 à ce chiffre. Si le résultat est inférieur ou égal à 4, rendez-vous au **210**. S'il est supérieur ou égal à 5, rendez-vous au **98**.

225

Les bruits de lutte cessent brusquement et vous entendez de grosses voix Drakkarims vociférer et pousser des jurons de colère. Puis la lumière d'une torche s'approche de l'ouverture fracassée de la cave. Un instant plus tard, la trogne d'un Drakkarim apparaît dans l'embrasure de la trappe, illuminée de façon grotesque par l'éclat dansant de la torche. Le soldat plonge celle-ci dans l'ouverture et ses yeux porcins se mettent à scruter chaque recoin de la cave. Vous restez aussi silencieux et immobile qu'une pierre et, à votre grand soulagement, il ne parvient pas à déceler votre présence sous l'amas de tonneaux et de barriques. Dès qu'il est parti, vous vous dégagez pour grimper sur un fût et atteindre la trappe. Lorsque vous vous hissez au-dehors, il n'y a plus trace de Prarg ni des Drakkarims dans la ruelle, mais vous les apercevez sur la place voisine. Les Drakkarims se sont emparés de votre compagnon ; ils lui ont lié les mains dans le dos et ils l'entraînent dans l'avenue ouest qui conduit au centre de la ville, vers le quartier général de Magnaarn. Rendez-vous au **149**.

226

Vous atterrissez en soulevant une gerbe de neige poudreuse, sentant une vive douleur à l'épaule droite. Vous avez été touché par une flèche mais, par chance, l'entaille n'est pas profonde : vous perdez 3 points d'ENDURANCE. Rendez-vous au **141**.

227

Ayant décidé de suivre les traces de Magnaarn, vous avez maintenant la perspective peu réjouissante d'une longue et pénible marche à travers les embûches de la forêt à moins, bien sûr, que vous ne trouviez un autre moyen de voyager. Grâce à votre Grande Maîtrise Kaï, vous sondez le sous-bois et vous lancez un silencieux appel à l'aide. Quelques minutes s'écoulent, puis vous voyez apparaître un Chien sauvage, bientôt suivi par d'autres créatures : un jeune Sanglier gris, un couple de Lynx et un Rhudun, sorte de singe des neiges de la région. Malheureusement, aucun de ces animaux n'est assez robuste pour vous porter sur une si longue distance. Un instant plus tard, un grand Cerf émerge avec majesté du sous-bois enneigé. C'est un magnifique animal, aussi grand et puissant que le plus beau des étalons. Soumis à votre volonté, il s'approche de vous et baisse docilement sa tête ornée de bois altiers pour vous permettre de l'enfourcher. Puis suivant vos directives muettes, il s'élance vers l'ouest sur la piste des soldats de Magnaarn. Peu après la tombée du soir, vous atteignez les rives du Shug, non loin d'un petit groupe de cabanes de rondins rassemblées autour de l'ancien embarcadère d'un bac. Mettant pied à terre, vous renvoyez le Cerf dans ses bois familiers. Après l'avoir regardé disparaître au petit trot sous les arbres, vous vous approchez des huttes. Rendez-vous au **310**.

228

La flèche frappe la créature en pleine poitrine, mais elle est arrêtée par l'armure d'ossements. Poussant un coassement de rage et de défi, le Ciquali rejette Prarg de côté et s'avance, avide de vous déchirer entre ses griffes. Remettant vivement votre arc à l'épaule, vous avez à peine le temps de dégainer avant que le monstre ne vous saute à la gorge.

CHEF CIQUALI   HABILETÉ : 34   ENDURANCE : 32

Si vous sortez vainqueur de ce combat, rendez-vous au **185**.

229

Soudain, une rangée de lames d'épées tranchantes comme des rasoirs jaillit de chaque mur à hauteur de poitrine ! Poussant Prarg dans le dos, vous le jetez au sol dans un réflexe foudroyant qui lui sauve la vie, mais qui vous laisse bien peu de temps pour esquiver le piège à votre tour. Vous plongez sur le côté, mais deux des lames vous zèbrent l'estomac et le dos : vous perdez 5 points d'ENDURANCE. Aussitôt après, les lames se rétractent et disparaissent dans le mur. Vous étanchez le sang qui coule de vos blessures puis, une fois sûr que le piège ne risque plus de se déclencher, vous vous relevez pour examiner la porte de plus près. Rendez-vous au **307**.

230

Alors que vous chevauchez sur la terre gelée de la route, le ciel s'assombrit et le temps ne tarde pas à se gâter. Ce qui n'est tout d'abord qu'une légère chute de flocons épars ne tarde pas à se changer en tempête de neige dont les bourrasques vous transpercent jusqu'à la moelle. Si vos pouvoirs Magnakaï vous permettent de braver le froid, il n'en va pas de même pour l'infortuné Prarg. Stoïque, il n'émet pas une plainte, mais vous vous rendez compte qu'il passe un mauvais moment. En outre, votre monture surchargée et déjà éprouvée par les péripéties de votre fuite, peine sous les rafales glacées et s'affaiblit à chaque pas. Bientôt, le pauvre animal se trouve incapable de vous porter. Vous êtes obligé de mettre pied à terre. Vos sens Magnakaï vous signalent que des cavaliers ennemis sont à votre poursuite. Vous avez encore quelques kilomètres d'avance sur eux, mais ils ont des montures fraîches et cet écart se réduit rapidement. Vous êtes sur le point de proposer à Prarg d'abandonner le cheval pour chercher refuge dans la forêt, quand une brusque accalmie dans la tempête vous révèle un spectacle inattendu. Vous vous êtes arrêtés près de la crête d'une colline et, en contrebas, la route forestière descend vers un torrent gelé qu'elle enjambe par un pont de pierre. A côté du

230 *Une brusque accalmie dans la tempête vous révèle un spectacle inattendu.*

pont se dresse une cabane de rondins mal équarris dont la cheminée de guingois laisse échapper un filet de fumée. Une petite écurie est accotée à l'arrière de l'édifice et vos sens y détectent la présence de chevaux. Si vous voulez vous approcher de la cabane et tenter de voler une monture fraîche dans l'écurie, rendez-vous au **52**. Si vous préférez abandonner votre cheval fourbu et vous enfoncer à pied dans la forêt, rendez-vous au **319**.

231

Vous dirigez votre embarcation vers la rive et, dès que sa proue vient s'échouer dans la vase, vous sautez à terre et vous courez vers une double rangée de baraquements délabrés édifiés près de la berge. Vous vous dissimulez dans une ruelle qui sépare les deux groupes de bâtiments pour étudier les défenses de la ville et essayer de savoir combien de soldats Drakkarims y sont cantonnés. La cité elle-même est formée de bâtiments, tous plus ou moins endommagés par la guerre, entourés d'un mur de rondins qui a dû être étayé en plusieurs endroits. Cette place a été le théâtre de nombreuses et féroces batailles depuis l'an passé, et les stigmates de la guerre y sont partout visibles. La ville est étrangement calme et semble faiblement défendue. La garnison Drakkarim est peu nombreuse et les soldats que vous avez pu apercevoir sont, pour la plupart, très jeunes, très vieux ou éclopés. La nuit commence à tomber et les Drakkarims allument des torches le long de la palissade tandis qu'une relève de garde a lieu à la porte principale. Vous vous apprêtez à quitter cette ville pour reprendre la route vers Dhârk, lorsque quelque chose vous fait changer d'avis... Rendez-vous au **50**.

232

Vous murmurez la formule du sortilège de Silence et le bruit cesse soudain dans l'étroit espace de la cabane. Le sergent Drakkarim ouvre la bouche pour appeler à l'aide mais il se rend compte avec stupeur qu'il est devenu muet ! Vous dégainez votre arme pour vous ruer sur lui, déterminé à le faire taire à tout jamais avant que les effets du sortilège se dissipent.

SERGENT
DRAKKARIM HABILETÉ : 30 ENDURANCE : 29

Étant donné l'effet de surprise dû à la stupeur que votre sortilège a suscitée chez votre adversaire, ne tenez aucun compte des points d'ENDURANCE que vous pourriez perdre au cours du premier Assaut. Si vous êtes vainqueur, rendez-vous au **53**.

233

Inquiet de ce qui pourrait arriver si vous vous attardiez dans cette chambre, vous revenez jusqu'à l'endroit où vous êtes sorti du passage effondré. Vous reprenez votre souffle et vous poursuivez votre retraite le long du tunnel jusqu'au bord du gouffre. Vous scrutez cette vaste crevasse sombre dans l'espoir de découvrir une issue à votre prison souterraine. Si vous maîtrisez la Grande Discipline de l'Alchimie Kaï, rendez-vous au **340**. Sinon, rendez-vous au **138**.

234

Un fracas assourdissant venu de Dhârk roule soudain à travers la plaine, faisant trembler le sol sous vos pieds. Dans la cité, la bataille ne cesse de croître en intensité et elle prend maintenant une tournure sinistre. Vous pouvez voir des traits de feu magique danser le long des remparts, engloutissant les combattants des deux bords. C'est l'œuvre de Magnaarn et de ses diaboliques alliés Nadziranims. Puis, à travers les fumées de la bataille, un étendard Lencien se dresse fièrement au milieu du carnage qui ensanglante la plaine côtière au sud de la cité. A cet endroit, les Croisés sont parvenus à tourner l'ennemi par le flanc et ils s'enfoncent dans son centre affaibli. A la vue de ce drapeau, le Baron Maquin et le Capitaine Schera décident, sous les acclamations de leurs hommes, d'aller soutenir la vaillante attaque des Croisés. Vous leur souhaitez à tous deux une heureuse fortune car le temps est venu de vous séparer. Leur destin les attend sur le champ de bataille. Vous, vous trouverez le vôtre à l'intérieur des murailles de Dhârk où vous devrez affronter Magnaarn pour accomplir votre quête... Vos adieux achevés, vous les regardez un moment s'éloigner le long de la plaine vers le lointain champ de bataille à la tête de leurs soldats. Puis vous vous mettez en route vers le hameau qui se trouve à mi-distance des portes de la cité. Rendez-vous au **154**.

235

Le bateau glisse sans bruit sur les eaux noires et fangeuses, et, en moins de dix minutes, vous êtes hors de vue des huttes. Contrairement aux berges lisses du passage de la Bouche de Dakushna, les rives de ce chenal récemment formé sont encombrées de racines et de végétation. Des rubans de brouillard s'y accrochent et répandent une froide puanteur qui, en dépit de vos pouvoirs Kaï, vous fait frissonner. Vous suivez ce canal inhospitalier depuis un peu plus d'un kilomètre lorsqu'il s'oriente vers l'est. Peu après, un obstacle surgit droit devant : une masse flottante d'herbes couvertes de givre s'est accrochée à la végétation de la rive droite, obstruant presque le passage. Vous observez de loin le barrage flottant en cherchant un moyen de le contourner, quand vous détectez un danger... Si vous maîtrisez la Grande Discipline Magnakaï de l'Alchimie, rendez-vous au **104**. Si ce n'est pas le cas, rendez-vous au **47**.

236

Le Capitaine Schera rassemble ses hommes et poste des guetteurs tout autour du mur d'enceinte de la ville, de crainte que les Drakkarims ne reviennent avec des renforts à la faveur de la nuit. Puis il s'occupe d'organiser les secours aux blessés et aux malades, veillant aux soins et au confort de chacun sans ménager sa peine. Vous êtes impressionné par le dévouement et l'affection qu'il porte à ses hommes. Lorsqu'il en a fini avec eux, vous retournez avec lui à l'armurerie pour élaborer un plan. Il serait trop dangereux de vous attarder dans cette ville, vous décidez donc de partir aux premières lueurs de l'aube. Schera est certain de trouver sur les berges un nombre d'embarcations suffisant pour transporter tout le monde jusqu'à Dhârk en descendant le fleuve, même si vous courez ainsi le risque de vous jeter dans les bras des troupes de Magnaarn. Il n'en est pas moins décidé à rejoindre son armée coûte que coûte, ajoutant que, si les Lenciens résistent encore face à Magnaarn, c'est bien devant Dhârk que la principale bataille a le plus de chances de se dérouler. Vous vous apprêtez à vous allonger pour prendre quelques heures d'un sommeil mérité et vous accueillez avec gratitude un des hommes du Capitaine venu vous apporter une gamelle chaude et une chope de bière. Vous récupérez 3 points d'ENDURANCE. Rendez-vous au **23**.

237

Vous vous écrasez sans douceur sur une pile de barriques de bière qui basculent et qui vous ensevelissent sous leur masse : vous perdez 3 points d'ENDURANCE. Estourbi, aveuglé par le sang qui ruisselle d'une entaille au front, vous vous sentez d'abord incapable de bouger. Mais des bruits de lutte qui proviennent de la ruelle vous tirent de votre torpeur : les Drakkarims ont découvert Prarg et ils tentent de s'emparer de lui ! Rendez-vous au **225**.

238

Vous dégainez votre arme pour attaquer la croûte gelée avec une énergie décuplée par l'urgence : le temps joue contre votre compagnon pris sous les glaces. Si vous ne parvenez pas à l'atteindre d'ici quelques secondes, il va couler à pic... Utilisez la *Table de Hasard*. Si l'arme que vous maniez est un Objet Spécial, ajoutez 2 au chiffre que vous tirez. Si c'est une masse d'armes, un marteau de guerre, une hache ou un glaive, ajoutez 1 au chiffre tiré. S'il s'agit d'un poignard, d'un bâton ou d'un sabre, retranchez 1 au chiffre donné par la *Table de Hasard*. Si le résultat est inférieur ou égal à 4, rendez-vous au **139**. S'il est supérieur ou égal à 5, rendez-vous au **3**.

239

Plusieurs heures s'écoulent avant que vous ne reveniez à vous. Après l'épreuve que vous avez vécue, vous êtes affaibli, mais votre volonté est toujours aussi farouche. Vous êtes plus que jamais déterminé à vous frayer un chemin vers la surface et à poursuivre votre mission. Car, même si Magnaarn a capturé le Capitaine Prarg et se trouve désormais en possession de la Pierre Maudite, il vous reste peut-être encore une possibilité de le vaincre. Avant de vous ensevelir dans le souterrain, il a reconnu que vous représentiez la seule menace à ses projets de victoire. Et le fait qu'il vous croie mort et enterré va sûrement vous permettre d'en tirer avantage... Vous vous relevez en titubant et vous scrutez le corridor vers l'est et l'ouest. Vous voulez trouver le chemin le plus direct vers la surface, et, quand vous sentez sur votre visage un courant d'air froid venu de l'ouest, vous vous mettez en route sans hésiter dans cette direction. Mais vous ne tardez pas à être déçu. Le corridor s'interrompt au bord d'un vaste gouffre formé des mêmes roches destructrices qui vous ont déjà enseveli vivant. Au fond de ce gouffre coule une rivière aux eaux noires et rapides et, en levant la tête, vous pouvez voir, loin au-dessus, quelques pâles rayons de jour hivernal filtrer à travers une fissure. Mais cette issue semble se trouver à une telle hauteur que vous ne songez même pas à tenter de l'atteindre. Vous rebroussez chemin. Vous retournez à l'endroit où vous avez rejoint le corridor et vous parcourez quelques centaines de mètres dans l'autre sens avant de déboucher dans une pièce octogonale baignée d'une lumière verdâtre provenant de champignons phosphorescents qui tapissent les murs et le plafond. Elle éclaire par la même occasion une étrange porte circulaire munie d'une serrure, elle aussi, octogonale. Mais vous commencez à vous sentir mal. Les champignons n'émettent pas seulement de la lumière, mais aussi des vapeurs invisibles qui, dans l'état de faiblesse où vous vous trouvez, menacent de vous faire défaillir... Utilisez la *Table de Hasard*. Si vous maîtrisez la Grande Discipline Magnakaï du Nexus, rendez-vous au **109**. Sinon, rendez-vous au **292**.

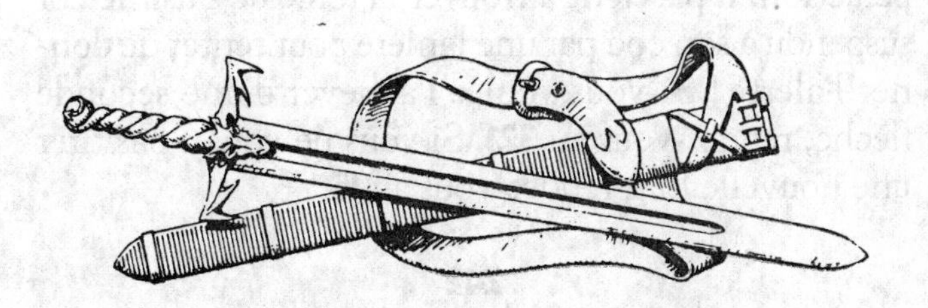

240

Vous vous placez juste au-dessous du conduit et vous concentrez votre pouvoir Magnakaï sur les nids fixés le long de la paroi. Le vrombissement croît régulièrement, puis des essaims d'énormes Guêpes en jaillissent et se mettent à remonter le conduit jusqu'à l'air libre, conformément à votre ordre silencieux. Lorsque vous êtes sûr que tous les nids sont bien vides, vous vous hissez dans le conduit en vous suspendant aux rebords des briques grossières qui le tapissent. Les prises sont relativement aisées et vous montez le long du puits en jouant des pieds et des mains. Après quelques minutes d'escalade, vous atteignez l'ouverture supérieure. Rendez-vous au **300**.

241

Vous encochez une flèche, vous franchissez d'un bond l'angle du corridor et vous tirez sur le Chevalier de la Mort. Votre trait lui perce la poitrine de part en part et il s'effondre sur le dos comme une masse. Vous savez que vous l'avez mortellement blessé mais, à votre stupéfaction, il parvient à trouver la force de saisir le cor suspendu à son cou par une lanière pour tenter de donner l'alerte ! Si vous voulez l'achever d'une seconde flèche, rendez-vous au **321**. Si vous ne voulez pas tirer une nouvelle fois, rendez-vous au **15**.

242

Le cerveau frappé par votre décharge d'énergie psychique, le Chien de Guerre se met à hurler de douleur et d'effroi. Alarmés par les glapissements du fauve, les autres Akataz se figent sur place, mais leur hésitation est de courte durée. La faim qui les tenaille est plus forte que la peur et, sans plus se soucier des cris de leur chef de meute, ils convergent vers Prarg et vous... Si vous maîtrisez la Grande Discipline de l'Alchimie Kaï et si vous désirez en faire usage, rendez-vous au **339**. Si vous ne maîtrisez pas cette Grande Discipline ou si vous préférez ne pas y faire appel, rendez-vous au **32**.

243

Votre dernier coup fait lâcher prise à la monstrueuse Limace qui, teintant l'eau sombre de bave verdâtre et de sang, disparaît en tournoyant dans les profondeurs du lac. Enfin libre de vos mouvements, vous empoignez Prarg par les pans de sa tunique et vous le halez vers le trou dans la croûte gelée. Vous parvenez à vous hisser sur la glace sans le lâcher, puis vous le tirez hors de l'eau. La peau du malheureux a pris une teinte violette et son corps est secoué de frissons. Son état est sérieux, mais il est toujours en vie. Grâce à vos pouvoirs de guérison. vous lui insufflez une partie de votre chaleur en apposant les mains sur sa poitrine et son visage. En quelques minutes, il recouvre sa température normale. Votre action rapide lui a sauvé la vie, mais elle vous a coûté 3 points d'ENDURANCE. Modifiez votre total d'ENDURANCE en conséquence et rendez-vous au **157**.

244

Vous montez sur l'appui de la fenêtre pour vous laisser tomber de tout votre poids sur le lancier. Malheureusement, vous n'avez pas bien calculé votre saut et vous lui heurtez simplement l'épaule avant de vous écraser sur le sol. Étourdi, vous mettez un certain temps à réagir tandis que le cavalier tire sa lance du fourreau et la pointe sur vous...

LANCIER
DRAKKARIM HABILETÉ : 30 ENDURANCE : 35

Vu l'état dans lequel votre chute vous a laissé, vous devez diminuer votre HABILETÉ de 10 points pendant les deux premiers Assauts. En outre, vous n'avez pas le temps d'absorber une potion avant d'engager le combat. Si vous êtes vainqueur, rendez-vous au **195**.

245

En deux coups assenés avec précision, vous réduisez les deux Drakkarims au silence. Puis vous les traînez dans une cabane voisine, au cas où leurs camarades remarqueraient leur absence. Bien que vous soyez pressé de quitter les lieux, vous remarquez qu'un des deux cadavres porte un manteau de cuir à capuchon qui pourrait vous être utile pour vous introduire dans la ville. Il est assez large pour cacher votre tunique Kaï et, une fois rabattu, le capuchon vous dissimule le visage. Enveloppé dans ce manteau, vous vous approchez de la grande porte de la cité. Trop occupées à surveiller l'entrée d'une nouvelle colonne de prisonniers, c'est à peine si les sentinelles vous jettent un regard et vous pénétrez dans la ville d'un pas assuré. Une fois à l'intérieur, vous vous dirigez vers une ruelle déserte qui s'ouvre entre une écurie et une armurerie. Tapi dans la pénombre, vous observez le camp de prisonniers avec une fureur grandissante, et une compassion pour les malheureux qui y sont parqués comme des bêtes. Ému par leur sort, vous vous jurez de faire tout ce qui est en votre pouvoir pour les sauver. Après avoir étudié les mouvements des patrouilles, vous profitez d'un moment favorable pour courir vers l'enceinte du camp, avide d'entrer en contact avec les Lenciens. Rendez-vous au **150**.

246

Votre monture tente de sauter l'obstacle, mais elle est trop épuisée pour y parvenir. Ses postérieurs se dérobent sous elle au moment de l'impulsion et vous êtes projeté la tête la première dans la tranchée, en compagnie de Prarg. Par un hasard malheureux, c'est sur un tas de pioches, de pelles et d'autres outils tranchants que vous allez atterrir, non sans douleur : vous perdez 3 points d'ENDURANCE. Rendez-vous au **276**.

247

Vous délestez le Drakkarim mort de ses possessions, pour les étaler devant vous :
Un poignard
Une épée
Une bouteille vide
Un arc
Deux flèches
Une pelote de ficelle
40 Kikas (équivalents à 4 Pièces d'Or)

Vous êtes sur le point d'abandonner le cadavre lorsque vous remarquez un objet brillant qui dépasse de sa botte gauche. C'est un Bâton d'Argent, lisse et dépourvu d'inscription, de dix centimètres de long. Si vous désirez emporter ce Bâton d'Argent, inscrivez-le sur votre *Feuille d'Aventure* dans la liste des Objets Spéciaux. Estimant que vous avez examiné tout ce qui en valait la peine, vous crachez dans vos mains et vous commencez à déblayer les roches et gravats qui bloquent l'escalier vers le niveau supérieur. Rendez-vous au **347**.

248

Prévenus de vos craintes, les deux commandants donnent l'ordre de forcer l'allure. Mais vous n'avez pas franchi plus de cinq cents mètres que vous voyez une forte unité de cavalerie ennemie surgir du nord. Conscients de l'infériorité de leurs fantassins face à une troupe montée en terrain découvert, le Baron Maquin et le Capitaine Schera se concertent brièvement et ordonnent à leurs soldats de former le carré. Dans un bruissement de lances, mercenaires et soldats Lenciens se mettent en formation pour affronter l'ennemi. Dans un grondement de tonnerre, les cavaliers Drakkarims chargent sans se soucier de la forêt de lances qui hérisse votre formation. La première vague s'abat sur vos lignes avec une terrible violence avant de refluer avec de lourdes pertes. Une deuxième vague lui succède, sans parvenir à percer la défense des Lenciens et de leurs alliés. On profite du bref répit qui suit pour porter les blessés au centre du carré, pendant que

248 *Les cavaliers Drakkarims chargent sans se soucier des lances qui hérissent votre formation.*

d'autres combattants les remplacent et que les rangs se resserrent pour affronter la prochaine charge. Car l'ennemi est déterminé : déjà repoussé à deux reprises, il s'apprête à attaquer de nouveau. Et, cette fois, ce sont de redoutables guerriers Zagganozods en armure, montés sur des Chevaux de Guerre bardés de plaques de bronze, qui mènent l'attaque. Le choc est terrible et vos premières lignes sont enfoncées sur un côté, laissant plusieurs cavaliers pénétrer jusqu'au milieu du carré et piétiner sous les sabots de leurs montures les blessés sans défense. Vous plongez dans la mêlée pour protéger ces malheureux, mais un cheval fou privé de son cavalier vous envoie rouler sur le sol. Avant même d'avoir pu vous relever, vous êtes la cible de deux cavaliers ennemis avides de vous embrocher à la pointe de leur lance...

LANCIERS
ZAGGANOZODS HABILETÉ : 37 ENDURANCE : 45

Si vous êtes vainqueur, rendez-vous au **95**.

249

Apercevant les yeux scrutateurs de la sentinelle bizarrement agrandis par le verre de ses lunettes magiques, vous comprenez que vous êtes repéré. Le Drakkarim disparaît de la meurtrière et, un instant plus tard, vous entendez un grincement de poulies et de chaînes au bas de la tour. Une partie du mur de rondins s'abaisse comme le pont-levis d'un château fort, révélant une sombre ouverture à hauteur du sol. Vous redoublez de vitesse, courant vers Prarg aussi vite que vous le pouvez dans l'espoir de le rejoindre avant que le panneau se soit complètement abaissé. Mais il n'a pas encore touché le sol que cinq féroces Sangliers de Guerre Nad-Jaguz jaillissent comme des diables de la noire ouverture. Ils chargent furieusement en faisant voler la neige sous leurs sabots, pointant leurs défenses acérées et luisantes comme des lames de couteau. Vous devez dégainer une arme de poing et exterminer ces bêtes sanguinaires avant qu'elles ne vous réduisent en chair à pâté !

NAD-JAGUZ HABILETÉ : 46 ENDURANCE : 46

Si vous maîtrisez la Grande Discipline du Contrôle Animal, ajoutez 2 points à votre total d'HABILETÉ pour la durée du combat. Si vous êtes vainqueur, rendez-vous au **219**.

250

Vous êtes réveillé en sursaut par le grondement d'un chien tout proche. Vous empoignez aussitôt votre arme mais, au même instant, deux rangées de crocs aiguisés se plantent dans votre poignet : vous perdez 2 points d'ENDURANCE. Vous luttez pour vous arracher à l'étreinte des terribles mâchoires d'un Akataz. Malgré vos efforts, la gueule du Chien de Guerre reste soudée à votre poignet. Rien ne semble pouvoir faire lâcher prise au fauve, sinon la mort – c'est pourquoi vous lui rompez le cou d'un coup sec du tranchant de l'autre main. Il s'effondre dans la neige, vous dégainez votre arme et vous appelez Prarg. Une réponse vous parvient, mais la voix de votre compagnon est lointaine et pleine de désespoir. Vous escaladez en courant le talus de la rive en vous maudissant intérieurement d'avoir laissé votre guide prendre le premier tour de garde. Il a dû succomber à la fatigue et s'endormir, permettant à une meute d'Akataz en maraude de vous tomber dessus par surprise. Au sommet du talus, vous découvrez le Capitaine en train de frapper d'estoc et de taille sur une douzaine de Chiens de Guerre déchaînés. « Vite, Prarg ! criez-vous en volant à son secours. Tenons-nous dos à dos. Ne les laissez pas nous séparer ou vous êtes perdu ! »

MEUTE D'AKATAZ
SAUVAGES HABILETÉ : 40 ENDURANCE : 55

Ces Chiens de Guerre sont particulièrement sensibles aux attaques psychiques. Multipliez par deux tous les points supplémentaires dont vous devez normalement bénéficier si vous utilisez vos pouvoirs psychiques au cours de ce combat. Si vous êtes vainqueur, rendez-vous au **176**.

251

L'après-midi touche à sa fin lorsque les contours d'une ville se découpent à l'horizon. Consultant votre carte, vous constatez qu'il s'agit de Konozod, place forte Drakkarim. Tandis que le courant vous en rapproche, vous intensifiez votre acuité visuelle et vous découvrez qu'elle est bâtie sur la rive gauche du Shug. Face à la ville, le fleuve est enjambé par un grand pont de pierre dont les arches sont reliées par un barrage de pieux et de chaînes qui obstrue toute la largeur des eaux. Si vous voulez laisser votre barque dériver vers ce barrage, rendez-vous au **314**. Si vous préférez l'éviter, vous pouvez aborder et poursuivre votre route à pied (rendez-vous au **231**).

252

Vous vous relevez vivement pour vous élancer dans la direction opposée du tunnel. Vous ne tardez pas à vous retrouver dans une partie de ce labyrinthe souterrain qui a beaucoup souffert du récent séisme. Le sol est jonché d'éboulis tombés de la voûte et des murs, mais vous parvenez à bondir par-dessus ces obstacles jusqu'à un escalier, lui aussi en ruine, que vous gravissez jusqu'à un palier. Vous y découvrez le cadavre d'un Drakkarim, couché sur un monticule de débris qui obstrue la cage de l'escalier. Un rapide examen de son corps vous révèle qu'il a les deux bras cassés : blessé et pris au piège par l'effondrement du temple, ce garde a fini par mourir d'inanition. Si vous voulez examiner le cadavre, rendez-vous au **247**. Si vous préférez tenter de déblayer les gravats, rendez-vous au **347**.

253

Baissant les yeux, vous remarquez un cavalier Drakkarim immobile sous la fenêtre du silo à grains. C'est l'un des soldats qui ont été postés autour de la place afin d'en garder les nombreux accès, mais il semble plus intéressé par l'exécution que par sa tâche. Sa lance repose dans un fourreau cylindrique suspendu à l'arrière de sa selle et, toute son attention étant tournée vers l'échafaud, il n'a pas conscience que vous vous trouvez à quelques mètres au-dessus de lui. Pendant ce temps, sur la plate-forme d'exécution, l'officier Drakkarim rempoche sa pierre à aiguiser et un murmure parcourt les rangs des soldats lorsqu'il empoigne la hache à deux mains. Conscient que votre compagnon n'a plus qu'une minute à vivre si vous ne tentez rien, vous grimpez sur l'appui de la fenêtre et vous vous laissez tomber sur le dos du lancier. Utilisez la *Table de Hasard*. Si vous maîtrisez la Grande Discipline de l'Art de la Chasse, ajoutez 3 au chiffre que vous tirez. Si le résultat est inférieur ou égal à 3, rendez-vous au **244**. S'il est compris entre 4 et 8, rendez-vous au **49**. S'il est supérieur ou égal à 9, rendez-vous au **172**.

254

Comme un seul homme, les soldats empoignent leurs armes et se ruent vers l'entrée du silo. Vous quittez la fenêtre et vous jetez un regard autour de vous dans l'espoir de découvrir un moyen de vous échapper car les bottes des Drakkarims résonnent sur les premières marches. Le cœur battant à tout rompre, vous vous précipitez vers une fenêtre à l'autre extrémité de la tour. Mais, avant d'avoir pu l'atteindre, vous vous retrouvez nez à nez avec deux imposants guerriers qui débouchent au sommet de l'escalier. Ces colosses portent l'uniforme des Chevaliers de la Mort, le corps d'élite des Drakkarims !

CHEVALIERS
DE LA MORT HABILETÉ : 38 ENDURANCE : 40

Si vous êtes vainqueur au bout de trois Assauts, rendez-vous au **35**. Si l'affrontement se poursuit au-delà, cessez le combat et rendez-vous au **160**.

255

La boule d'énergie pénètre dans le trou de la serrure et la détruit, ouvrant la porte dans un fracas assourdissant. Vous vous retrouvez nez à nez avec deux gardes Tukodaks, visiblement abasourdis. Sans les laisser reprendre leurs esprits, vous bondissez et, du tranchant de la main, vous leur octroyez à chacun un coup sec derrière l'oreille qui les réduit à jamais au silence. Rendez-vous au **83**.

256

Vous cessez un instant votre labeur pour vous concentrer et invoquer le sortilège de Force. La fatigue accumulée au cours des derniers jours disparaît et une chaude sensation de force et de bien-être se répand dans votre corps. Vous vous remettez au travail avec une ardeur renouvelée et, en peu de temps, vous parvenez à déblayer un passage assez large pour vous permettre de vous faufiler entre les décombres jusqu'à une section supérieure de la cage d'escalier restée à peu près intacte. Dès que vous avez franchi l'obstacle, vous vous empressez de reboucher le passage derrière vous, puis vous grimpez les marches. Rendez-vous au **175**.

257

Vous vous éveillez à l'aube et, jetant un regard par un sabord de votre cabine, vous êtes accueilli par un spectacle grandiose. La *Nef du Ciel* vogue maintenant vers l'ouest en survolant les Tentarias, large détroit qui sépare les deux continents du Magnamund. Vous surplombez de plus de quinze cents mètres des eaux d'un vert bleuté qui scintillent sous les rayons du soleil levant qui illumine aussi la coiffe de neige des sommets de la chaîne de Bor et des monts du Boradon, dont les murailles se dressent de part et d'autre du détroit pour former un corridor de roche. Sur le pont, tous les membres de l'équipage regardent vers le nord, contemplant avec nostalgie les étendues de Bor qui les ont vu naître et qu'ils n'ont pas revues depuis de longues années. Le ciel reste clair et paisible devant la *Nef du Ciel* qui peut poursuivre son vol à bonne allure au-dessus des Tentarias, voguant vers le Golfe de Lencia. Vers le milieu de la matinée, vous survolez Humbold, capitale de la principauté d'Eru, avant de découvrir une vue moins plaisante. Vers le nord, aussi loin que porte votre regard, s'étend une morne étendue de fange. Ce sont les Marais de l'Enfer, bourbier infernal parsemé de végétaux atrophiés et de bancs de vase mouvante. Le temps s'écoule avec lenteur, vous rapprochant de votre destination. Deux heures après midi, la vigie lance un appel du haut de son nid-de-pie, et vous pouvez bientôt voir les contours de la cité portuaire de Vadera, nichée au fond de sa baie abritée de la côte Lencienne. Montant sur le château avant, vous rejoignez Nolrim qui, posté à l'étrave, dirige avec habileté votre descente sur la grand-place, seul endroit de cette ville populeuse susceptible d'accueillir un bâtiment volant de la taille du vôtre. Dans un premier temps, le spectacle de la *Nef du Ciel* plongeant vers la cité répand un vent de panique parmi les habitants qui le prennent pour un engin de guerre Drakkarim. Mais leur peur s'évanouit lorsque les sentinelles des remparts leur crient que vos mâts arborent des étendards du Sommerlund. Et, dès que vous avez touché le sol, une masse de curieux se referme autour de la coque du vaisseau. Bientôt, une escouade d'hommes d'armes se fraie un chemin jusqu'à l'échelle de coupée. Leur chef échange quelques paroles avec le Seigneur Floras puis les soldats vous escortent tous deux jusqu'à la citadelle où vous allez être reçus sans délai par le Roi Sarnac. Rendez-vous au **25**.

258

Contre toute attente, votre flèche transperce le cœur de la créature, bizarrement situé au niveau du diaphragme, et elle s'écrase à vos pieds dans la neige. Son énorme corps se crispe, agité de tremblements puis, après un ultime spasme, il cesse de bouger. Reprenant figure humaine, Prarg s'approche timidement du corps inerte du monstre. « Les dieux veillent sur nous, messire, finit-il par murmurer d'une voix emplie de respect. Cette bête est un Mahaw... et bien rares sont ceux qui peuvent se vanter d'avoir épinglé le roi de la Forêt de Tozaz à leur tableau de chasse ! » D'un commun accord, vous décidez de vous remettre en route sans plus tarder, au cas où quelque congénère de cet animal se trouverait dans les environs... Guidés par votre instinct et votre pouvoir d'exploration, vous parcourez plus de six kilomètres vers l'ouest avant de voir les arbres s'éclaircir. Et vous émergez de la forêt pour découvrir un spectacle grandiose. Rendez-vous au **192**.

259

Les deux gardes s'enfoncent dans la ruelle et s'arrêtent à moins de trois mètres du porche où vous tentez de vous dissimuler. Pourtant, ils ne semblent rien avoir remarqué. Sans jeter un regard dans votre direction, ils ouvrent le sac et entreprennent de se partager son contenu, mélange de trouvailles récoltées sur le champ de bataille et d'objets de valeur arrachés aux prisonniers ou pris sur les morts. Les ricanements de ces deux charognards vous emplissent les oreilles jusqu'au moment où leur sergent crie leurs noms d'une voix rauque depuis la porte principale. Les soudards s'empressent de replacer leur butin dans le sac et de l'enfouir dans un trou creusé sous une mangeoire des chevaux, avant de rejoindre leur unité. Si vous voulez déterrer le sac de ces deux scélérats, rendez-vous au **323**. Si vous préférez les suivre, rendez-vous au **137**.

260

Les rues et les ruelles qui entourent la prison sont illuminées par des flambeaux. Les soldats de Magnaarn semblent être partout, scrutant d'un œil soupçonneux chaque recoin de la cité qui est plongé dans l'ombre. Vos pouvoirs Kaï vous permettent de vous dissimuler et d'atteindre la prison sans trop de difficulté... pour constater que l'entrée principale est sévèrement gardée par un peloton entier de Drakkarims ! Abandonnant tout espoir de vous introduire dans l'édifice par la grande porte, vous le contournez d'un pas furtif pour vous retrouver dans une ruelle qui borde le mur de derrière, le long duquel vous découvrez une rangée de lucarnes protégées de solides barreaux de fer. Votre instinct Kaï vous conduit à la dernière fenêtre de la rangée. Plongeant le regard entre les barreaux, vous découvrez le Capitaine Prarg étendu sur une couche de paille. Le malheureux est dans un triste état : les yeux pochés, les lèvres fendues et sa superbe moustache souillée de sang séché... Lorsque vous chuchotez son nom, juste assez fort pour qu'il vous entende, il tourne un visage las vers la fenêtre de son cachot. Mais, dès qu'il vous reconnaît, son regard s'éclaire d'une lueur d'espoir. « Les dieux soient loués, vous êtes toujours libre, Loup Solitaire ! s'exclame-t-il à voix basse en s'agrippant aux barreaux de sa prison. Les Drakkarims ont essayé de me faire parler, mais je ne leur ai rien dit ! Ils ne savent rien de notre mission. » Vous examinez les barreaux de la cellule en assurant votre compagnon que vous allez l'en faire sortir au plus vite, mais il vous arrête aussitôt. « Écoutez-moi, messire. J'ai appris que Magnaarn n'est pas ici. Quand mes geôliers ont commencé à me battre, j'ai feint de m'évanouir et, en épiant leurs conversations, j'ai pu apprendre que leur chef est parti vers un lieu du nom d'Antah. C'est un antique temple en ruine qui se trouve à soixante kilomètres au nord. D'après ce que j'ai entendu, ils sont persuadés qu'ils vont bientôt gagner la guerre, maintenant que leur maître a découvert ce qu'ils nomment "la Pierre". Je vous en supplie, Loup Solitaire, poursuivez la mission sans moi. Allez au Temple d'Antah et abattez Magnaarn avant qu'il ne soit trop tard... » A cet instant, la lueur d'une torche surgit au bout de la ruelle et interrompt votre conversation : une patrouille Drakkarim tourne le coin du bâtiment et s'approche dans un bruit de bottes. « Ne perdez pas tout espoir, Capitaine, soufflez-vous avant de vous éclipser. Je reviendrai vous chercher ! » Rendez-vous au **79**.

261

Vous n'avez pas parcouru plus de quelques centaines de mètres le long de ce tunnel que vous percevez un danger. Vous vous figez sur place et, faisant appel à vos pouvoirs de détection Kaï, vous tentez d'identifier la nature de cette menace. Si vous maîtrisez la Grande Discipline de l'Exploration, rendez-vous au **48**. Sinon, rendez-vous au **335**.

262

Vous envoyez un éclaireur chercher le Capitaine Schera et ses hommes. Les Lenciens arrivent bientôt et sont accueillis chaleureusement par les mercenaires qui n'hésitent pas à partager leurs maigres rations avec leurs frères d'armes. Vous passez la nuit sur place et vous levez le camp à l'aube. Décimé par les combats, le régiment du Baron ne compte plus qu'une quarantaine d'hommes, vous n'avez donc aucun mal à leur trouver de la place dans les bateaux. En dépit des pertes subies et des épreuves traversées, ces solides guerriers forment

262 *Un gros corbeau vient se poser sur un morceau de bois mort et vous fixe d'un œil perçant.*

un groupe plein d'entrain et leur présence contribue à relever le moral des Lenciens. La suite de votre voyage au fil du courant se déroule sans incident notoire jusqu'aux environs de midi, où vous voyez le ciel s'assombrir. Dans le lointain, une lueur orangée illumine l'horizon et les points rouges de feux innombrables parsèment les terres alentour. Un silence d'outre-tombe descend sur la flottille à mesure que vous approchez de la cité de Dhârk. Bientôt, vous apercevez des colonnes de soldats marchant vers l'horizon flamboyant, puis vous assistez à des combats isolés opposant de petits groupes de chevaliers Lenciens, qui tentaient de battre en retraite, à des cavaliers Drakkarims dans les champs en bordure du fleuve. Quelques éclaireurs Drakkarims montés qui se sont avancés jusqu'à la berge vous prennent pour cible et vous décochent des volées de flèches au passage, mais la puissance du courant a tôt fait d'entraîner votre flottille en aval et l'accrochage ne vous coûte que quelques blessés légers. Il est près d'une heure de l'après-midi lorsque vous découvrez les contours de la funeste Dhârk. La bataille fait rage tout autour des murailles de la cité et de ses bastions, et le vent d'hiver porte jusqu'à vous la rumeur et l'odeur de mort de ce formidable affrontement. Le courant devient de plus en plus fort à l'approche de la mer, rendant la navigation hasardeuse. Vous faites signe à toutes les embarcations d'accoster sur-le-champ. Vous débarquez sur la rive droite. Le Capitaine Schera et le Baron Maquin ordonnent à leurs hommes de s'y déployer en position défensive en attendant de décider ce que vous allez faire. Non loin de l'endroit où vous avez touché terre court une route parallèle au fleuve et, au-delà s'étend une vaste plaine enneigée sur laquelle vous pouvez voir évoluer de nombreux régiments de Drakkarims renforcés de quelques unités de Gloks, en marche vers la cité. Vous êtes en train d'observer la bataille qui se déroule au pied des murailles, lorsqu'un gros Corbeau charognard vient se poser sur un morceau de bois mort échoué à quelques mètres de vous et vous fixe d'un œil perçant. Si vous maîtrisez la Grande Discipline du Contrôle Animal, rendez-vous au **168**. Sinon, rendez-vous au **302**.

263

Vous glissez un œil prudent à travers la vitre encrassée et vous découvrez un vieux Drakkarim au poil grisonnant assis devant une cheminée où flambe une brassée de belles bûches. Il fume une pipe de bruyère et il a les yeux plongés dans un vieux livre ouvert sur ses genoux. Tout vous porte à croire qu'il s'agit d'un vétéran qui, après avoir livré maintes batailles et trop âgé pour combattre, s'est vu octroyer ce poste où son unique devoir consiste à surveiller le passage du pont. Conscient que votre temps est compté, sans vous attarder près de la fenêtre, vous courez sans bruit vers l'écurie. Rendez-vous au **115**.

264

Le dernier Gorodon laisse échapper un gargouillis lorsque vous lui assenez le coup fatal. Son énorme masse vacille puis se raidit dans un spasme avant de s'effondrer à vos pieds. Prarg amène votre embarcation le long de la rive et, en approchant, vous remarquez qu'il vous dévisage avec une expression de stupeur mêlée de respect. Avec égards, il vous aide à embarquer, puis il s'arc-boute sur les avirons pour rejoindre la rive ouest. « Messire, permettez-moi de saluer votre courage, déclare-t-il. Jamais je n'ai vu un guerrier faire preuve d'une telle bravoure et d'un talent si consommé face à de tels adversaires. J'avais certes entendu parler de l'art du combat des Seigneurs Kaï du Sommerlund mais, à ma grande honte, je dois avouer que, jusqu'à ce jour, je n'avais accordé qu'un crédit limité aux récits qui m'en étaient parvenus... La première fois que j'ai navigué dans ces chenaux, j'ai perdu trois de mes meilleurs hommes quand les Gorodons nous ont attaqués. Ces horreurs sont le fléau de ces marais... Bien qu'on puisse y rencontrer des créatures encore pires. Oui, bien pires... » Vous atteignez la rive ouest et vous accostez sans difficulté avant de dresser votre bivouac sur une butte de gazon gelé qui domine une morne étendue de marécage. La nuit est maintenant tombée. Réfugié sous l'abri précaire de votre embarcation retournée, vous scrutez les cieux noirs de votre regard expérimenté et vous voyez des bancs de nuages chargés de neige courir sur l'horizon. Spectacle peu réjouissant car il annonce le blizzard. Prarg s'offre à prendre le premier tour de garde mais, sentant qu'il a plus besoin de repos que vous, vous insistez pour qu'il dorme un peu. Durant quatre heures, vous restez assis, les yeux parcourant l'horizon et l'esprit agité de questions sans réponse sur l'avenir de votre mission et les périls que vous allez affronter. Mais, tout en méditant sur ces inquiétantes perspectives, vous conservez les sens en alerte, les pensées encore agitées du souvenir tout frais de votre dangereuse rencontre sur l'autre rive. Heureusement, le froid de plus en plus mordant semble avoir dissuadé les hôtes des Marais de l'Enfer de quitter leurs tanières cette nuit et aucun incident ne vient troubler votre tour de garde. Ainsi arrive le moment de réveiller votre compagnon. Et pendant que Prarg prend son quart de veille sans enthousiasme, vous allez vous étendre pour savourer quelques heures d'un sommeil bien mérité. Rendez-vous au **327**.

265

Vous vous collez presque contre la porte et, faisant appel à votre pouvoir Kaï, vous provoquez une vibration au centre de l'antique verrou. Le battant tout entier se met à résonner et des lézardes apparaissent autour de la serrure qui, dans une sourde déflagration, finit par se désintégrer. Il ne vous reste plus qu'à vous arc-bouter contre la porte, et une poussée fait pivoter le battant. Rendez-vous au **11**.

266

Vous parvenez à ouvrir la fenêtre sans bruit et vous pénétrez dans la pièce d'un bond agile. Pendant que vous vous approchez à pas de loup, le sergent Drakkarim embouche le goulot pour s'octroyer une autre lampée. Trop occupé à vider la réserve de vin de son Capitaine, il perçoit votre présence au moment précis où vous lui brisez la nuque du tranchant de la main. Le soudard vacille puis, le visage figé dans une expression de stupeur, il s'effondre à vos pieds sans un cri. Enjambant son corps, vous vous précipitez vers la table pour examiner la carte. Mais, déception, il ne s'agit que d'un plan de construction du camp où vous vous trouvez, ce qui ne vous donne pas le plus petit renseignement sur l'endroit où Magnaarn peut se cacher. Si vous désirez fouiller cette cabane, rendez-vous au **10**. Si vous préférez rejoindre Prarg, rendez-vous au **277**.

267

En observant avec soin les cavaliers qui s'approchent, vous reconnaissez qu'ils appartiennent au corps redouté des Zagganozods, unité avec laquelle vous avez déjà eu maille à partir il y a plusieurs années, au cours d'une quête qui vous avait conduit dans les terres d'Eru. Les cavaliers atteignent la route et, de plus près, vous vous rendez compte qu'ils reviennent du combat et qu'ils sont fourbus. « Préparez-vous à l'attaque ! » souffle le Capitaine Schera, dont l'ordre est transmis dans un murmure jusqu'au dernier des soldats. Traversant la route, les cavaliers ennemis se dirigent vers le fleuve, pour abreuver leurs montures. Ils sont à moins de dix mètres de vous lorsque le Baron Maquin lance l'ordre de l'assaut d'une voix terrible. Aussitôt, Lenciens et mercenaires d'Ilion jaillissent comme des diables de leur cachette et se ruent sur les Drakkarims stupéfaits... Rendez-vous au **54**.

268

Vous avez presque atteint le pied de la rampe de pierre quand l'un des Tukodaks vous aperçoit et, d'un grognement rauque, alerte son camarade. Vous dégainez votre arme et vous vous ruez en avant pour les tailler en pièces sans vous soucier des lances qu'ils pointent sur votre poitrine.

TUKODAKS HABILETÉ : 38 ENDURANCE : 34

Si vous sortez vainqueur de ce combat, rendez-vous au **311**.

269

Hélas, vous n'avez pas réagi assez vite pour esquiver la flèche du Drakkarim ! Elle vous frappe en pleine poitrine, et vous vous écrasez, à moitié inconscient, dans le fond du bateau : vous perdez 6 points d'ENDURANCE. Vous surmontez la douleur pour saisir le trait à deux mains et l'arracher d'un coup sec. Puis, faisant appel à vos pouvoirs de guérison, vous parvenez à stopper l'hémorragie. Mais vous n'en êtes pas moins affaibli et, durant plus d'une heure, vous restez étendu au fond de l'embarcation, regardant défiler le ciel gris tandis que le courant vous entraîne vers l'aval. Lorsque vous parvenez enfin à vous relever, les Drakkarims renégats sont loin... Votre voyage se poursuit sans autre interruption jusqu'au moment où, vers la fin de l'après-midi, les contours d'une ville se découpent sur l'horizon. Consultant votre carte, vous constatez qu'il s'agit de Konozod, place forte Drakkarim. Tandis que le courant vous en rapproche, vous intensifiez votre acuité visuelle et vous découvrez qu'elle est bâtie sur la rive gauche du Shug. Face à la ville, le fleuve est enjambé par un grand pont de pierre dont les arches sont reliées par un barrage de pieux et de chaînes qui obstrue toute la largeur des eaux. Si vous voulez laisser votre barque filer vers ce barrage, rendez-vous au **314**. Si vous préférez l'éviter, vous pouvez accoster et poursuivre votre route à pied (rendez-vous au **231**).

270

Vous encochez une flèche et, comme votre cible se trouve à cinquante mètres, vous prenez le temps de l'ajuster avec soin. Une fois l'officier Drakkarim dans votre ligne de mire, vous accompagnez chacun de ses mouvements, attendant patiemment qu'il s'arrête près du billot. A l'instant précis où il s'immobilise, vous relâchez la corde de votre arc. La flèche fend l'air et file droit vers la tête du bourreau... Utilisez la *Table de Hasard*. Si vous maîtrisez la Grande Discipline de la Science des Armes et si vous avez acquis la Grande Maîtrise du Maniement de l'Arc, ajoutez 4 au chiffre que vous avez tiré. Si le résultat est inférieur ou égal à 5, rendez-vous au **183**. S'il est supérieur ou égal à 6, rendez-vous au **201**.

271

La créature ouvre la gueule et une boule de feu jaillit des profondeurs de sa gorge. A l'instant même, vos sens vous avertissent qu'il s'agit d'un projectile de nature psychique. Tel un minuscule soleil suivi d'une traîne d'étincelles orangées, il fuse dans un rugissement assourdissant. Avant qu'il ait pu vous atteindre, vous la frappez de plein fouet à l'aide du Glaive de Sommer.

A l'instant où votre lame divine rencontre la boule de feu, celle-ci explose en une nuée de fragments ardents qui s'évanouissent presque aussitôt. La violence du choc vous projette en arrière et, sans vous laisser retrouver votre équilibre, le monstre vous bondit à la gorge. Rendez-vous au **283**.

272

Le chevalier s'écroule sans connaissance à vos pieds. Sans attendre qu'il reprenne ses esprits, vous tournez les talons et vous reprenez votre route vers les portes de Dhârk. A mesure que vous approchez de la cité, le fracas de la bataille vous emplit les oreilles. Les cris des combattants, le grondement des charges de cavalerie, les hennissements des montures et les hurlements d'agonie se mêlent en une effrayante cacophonie. Soudain, vous êtes plongé dans la mêlée, contraint de vous tailler un chemin dans un mur compact d'ennemis. Ils viennent les uns après les autres se jeter sur votre arme, comme s'ils se sacrifiaient avec joie pour vous empêcher d'atteindre le sommet de la pente qui conduit aux portes de la cité. Animé d'une farouche détermination, vous vous enfoncez dans cette horde de Drakkarims, maniant votre arme avec l'inlassable ardeur d'une machine de mort et laissant sur votre passage un sillon jonché de corps sans vie et de membres épars. Mais, arrivé au pied des portes, vous vous trouvez confronté à une bien plus redoutable opposition. L'ouverture béante de la grande porte aux panneaux abattus est défendue par trois formidables Tukodaks aux armures couvertes de sang. Les yeux exorbités, la

272 *L'ouverture béante de la grande porte est défendue par trois formidables Tukodaks.*

bave aux lèvres, ils sont dans un état de folie guerrière qui leur a été inspirée par quelque sortilège maléfique. Dès qu'ils vous aperçoivent, ils se ruent sur vous en poussant des hurlements de démence. « Pour le Sommerlund ! » rugissez-vous en réponse en vous précipitant à leur rencontre...

GARDES
TUKODAKS HABILETÉ : 44 ENDURANCE : 44

Si vous sortez vainqueur de ce combat, rendez-vous au **125**.

273

Vous atteignez une crique abritée où vous découvrez une ancre rouillée. Il s'agit d'un repère placé là par les agents du Roi Sarnac afin d'indiquer la direction de la grotte dans laquelle ils ont caché votre embarcation et vos provisions. Après avoir trouvé la grotte, vous tirez le bateau sur la plage et vous hissez la voile noire avant de le pousser dans les eaux glacées des Tentarias. Une fois à bord, vous vous chargez de l'écoute tandis que Prarg prend la barre. Vous êtes poussés par un bon vent et, au bout de quelques minutes, votre esquif danse dans la houle du large, voguant vers l'embouchure du chenal le plus occidental des Marais de l'Enfer, à vingt milles de distance. Vous demandez à Prarg si ce sombre estuaire a un nom, et il vous répond : « Certes. Les Drakkarims l'appellent la Bouche de Dakushna en l'honneur du Seigneur des Ténèbres qui commandait la forteresse de Kagorst. On dit que ce nom lui va bien car ce passage est aussi traître que celui dont il porte le nom. » Rendez-vous au **60**.

274

Vous suivez le tunnel pendant plus d'un kilomètre, jusqu'à un vaste réservoir souterrain. Une eau fangeuse dégouline le long des parois et se mêle aux flots déchaînés du torrent avant de disparaître dans un tourbillon au fond du puits. Assourdi par le rugissement des eaux, vous scrutez la pénombre à la recherche d'une issue. La chaussée prend fin au pied d'une échelle de fer dont les barreaux, cimentés dans la paroi, montent le long du gouffre à perte de vue. Vous commencez à escalader l'échelle avec lenteur, testant avec précaution chaque barreau avant d'y prendre appui. Après avoir grimpé pendant une heure, vous atteignez l'ouverture d'un étroit tunnel haut comme un homme, percé dans la muraille de la crevasse. Quittant l'échelle, vous vous enfoncez dans ce passage qui finit par déboucher dans une petite salle aux murs lisses. Sur le seuil, vous croyez entendre comme un bruit d'averse et, levant les yeux, vous constatez que la voûte de la salle est sillonnée de lézardes et de fissures par lesquelles s'écoulent des filets d'eau. Il y a une porte à l'opposé de l'entrée du tunnel ; vous vous hâtez de traverser la salle et vous vous arcboutez contre le lourd battant dans l'espoir de le faire pivoter, mais elle est verrouillée. C'est alors que vous sentez une étrange odeur, âcre et piquante. Et vous vous rendez compte avec horreur que votre manteau et votre tunique grésillent en laissant échapper des fumerolles bleutées. Le liquide qui tombe du plafond n'est pas de l'eau, mais un acide concentré ! Si vous maîtrisez la Grande Discipline de la Magie des Anciens et si vous désirez y faire appel, rendez-vous au **143**. Si vous maîtrisez la Grande Discipline de l'Alchimie Kaï et si vous voulez l'utiliser, rendez-vous au **338**. Si vous maîtrisez la Grande Discipline du Nexus, et si vous désirez en faire usage, rendez-vous au **265**. Si vous ne maîtrisez aucune de ces Grandes Disciplines ou si vous ne voulez pas y faire appel, rendez-vous au **203**.

275

Avant d'escalader la berge et de vous enfoncer entre les arbres, vous dites aux trois Lenciens de se déployer en parallèle, de manière à progresser selon une ligne espacée, et de surveiller avec attention les signaux que vous leur adresserez. Ces trois gaillards semblent être des éclaireurs compétents, mais, à tout prendre, vous vous seriez volontiers passé de leur présence si le Capitaine Schera n'avait pas insisté pour qu'ils vous escortent. Vous commencez à ramper sans bruit dans la neige en vous dissimulant sous le couvert de la maigre végétation chaque fois que cela est possible. Vous vous êtes enfoncé à moins de cent mètres au cœur du hallier lorsque vous apercevez un petit campement caché au milieu des arbres. Il se compose de quatre tentes de toile blanche gardées par une vingtaine de soldats fourbus et affamés. Remarquant un étendard roulé contre l'une des tentes, vous faites signe à l'éclaireur le plus proche de vous rejoindre, espérant qu'il sera capable d'en identifier le motif à damier noir et blanc. « Ce sont des guerriers de la Ligue d'Ilion, murmure-t-il. Ces hommes sont de bons mercenaires, fidèles à notre Roi. Ils combattaient à nos côtés à Hokidat. » Vous êtes tenté de vous montrer, mais si ces hommes sont aussi bons combattants que l'affirme votre éclaireur, vous craignez fort qu'ils n'aient le réflexe de tirer d'abord et de poser des questions ensuite. Lorsque vous faites part de vos appréhensions à votre compagnon, il vous répond avec un sourire en coin : « Ne vous en faites pas, messire, je sais comment entrer en contact avec eux sans risque. » Rendez-vous au **316**.

276

Vous vous relevez en titubant et vous découvrez avec soulagement que votre cheval n'est pas loin. Il s'est arrêté près de la lisière, les flancs couverts d'écume, et il broute la neige pour essayer de se désaltérer. Utilisant vos pouvoirs Kaï, vous appelez l'animal qui relève aussitôt la tête et obéit sans rechigner à votre ordre muet. Derrière vous, les archers Drakkarims accourent depuis les défenses extérieures de la ville, menaçant de vous encercler si vous ne déguerpissez pas. Vous sautez en selle et vous aidez Prarg à monter en croupe, puis vous vous lancez au galop le long de la lisière de la forêt. Ce n'est que lorsque vous êtes hors de portée des flèches ennemies que vous bifurquez vers la route pour continuer vers le nord. Rendez-vous au **230**.

277

Vous êtes sur le point de sortir de la cabane lorsque vous remarquez une lanterne à huile allumée suspendue à un crochet à côté de la porte. Vous vous en emparez et, après en avoir ôté le verre protecteur, vous la jetez dans un angle de la pièce où elle enflamme aussitôt un tas de vêtements sales. Le feu devrait détruire les traces de votre passage et, avec un peu de chance, faire une diversion qui vous permettra de vous éclipser sans vous faire remarquer. Comme vous l'espériez, l'incendie se propage rapidement et, jetant un coup d'œil par-dessus votre épaule tout en détalant vers le couvert des arbres, vous voyez une grosse langue de flammes orange jaillir de la porte de la cabane et un panache de fumée noire monter dans le ciel plombé. Vous rejoignez Prarg et vous vous hâtez tous deux de vous enfoncer dans la forêt. Ainsi que vous le pensiez, l'incendie provoque dans le camp une confusion propice à une fuite discrète mais, vous n'aviez pas prévu une autre conséquence : il rameute vers le camp toutes les patrouilles Drakkarims qui rôdent dans les parages... Ce fâcheux imprévu vous contraint à faire un large détour pour éviter de vous jeter dans les bras de tous ces groupes de soldats, et à vous aventurer dans un secteur accidenté de la Forêt de Tozaz, jamais exploré auparavant par votre guide. La difficulté du terrain ralentit votre allure et vous avez tout juste le temps de couvrir une dizaine de kilomètres avant que la nuit et l'affluence de patrouilles Drakkarims ne vous obligent à dresser votre bivouac. Réfugiés dans les hautes branches d'un arbre, à quinze mètres au-dessus du sol, vous prenez la précaution de vous encorder au tronc avant de vous allonger tant bien que mal pour dormir. Votre estomac crie famine et, à moins de maîtriser la Grande Discipline de l'Art de la Chasse, vous devez prendre un Repas pour éviter de perdre 3 points d'ENDURANCE. Rendez-vous ensuite au **90**.

278

Rentrant les avirons, vous saisissez votre arc et vous couchez en joue le chef ventru de cette bande de renégats Drakkarims. Un instant, vos regards se rencontrent et, voyant sa mort en face, le scélérat perd tout contrôle, son arc lui échappe des mains et il fait volte-face. Mais son ultime élan de couardise ne le sauve pas d'un juste châtiment : déchirant l'air dans un gémissement strident, votre flèche s'enfonce de toute sa longueur dans son corps bouffi. En le voyant rouler dans la rivière, sa troupe s'égaille comme une volée de vilains moineaux, escaladant la berge boueuse avant de disparaître dans les collines boisées. Votre voyage se poursuit sans autre interruption jusqu'au moment où, vers la fin de l'après-midi, les contours d'une ville se découpent sur l'horizon. Consultant votre carte, vous constatez qu'il s'agit de Konozod, place forte Drakkarim. Tandis que le courant vous en rapproche, vous intensifiez votre acuité visuelle et vous découvrez qu'elle est bâtie sur la rive gauche du Shug. Face à la ville, le fleuve est enjambé par un grand pont de pierre dont les arches sont reliées par un barrage de pieux et de chaînes qui obstrue toute la largeur des eaux. Si vous voulez laisser votre barque filer contre ce barrage, rendez-vous au **314**. Si vous préférez l'éviter, vous pouvez aborder et poursuivre votre route à pied en vous rendant au **231**.

279

Vous atteignez enfin les eaux glacées de la Gourneni, dans lesquelles vous lancez votre embarcation avec une énergie décuplée par la peur. Prarg saute à bord par l'arrière mais, sous son poids, la quille s'enfonce dans la vase et le bateau s'immobilise. « Vite, Prarg ! hurlez-vous en vous efforçant de conserver votre sang-froid. Sortez les avirons et je pousserai ! » Pendant ce temps, les Gorodons gagnent du terrain. Vous pouvez déjà presque sentir le souffle de leurs naseaux sur vos mollets et, dans un effort désespéré, vous vous arc-boutez sur la poupe pour pousser de toutes vos forces. Dans un premier temps, il ne se passe rien. Puis, le bateau se libère d'un seul coup et vous allez vous étaler de tout votre long dans l'eau glacée. Vous vous relevez presque aussitôt et vous chassez d'un revers de main la couche de fange qui vous couvre les yeux pour voir le canot dériver doucement vers le milieu de la rivière. Penché par-dessus le plat-bord, Prarg vous tend les bras en hurlant d'une voix angoissée : « Vite, Loup Solitaire ! Ils sont presque sur vous ! » Sentant qu'il sera plus rapide de rejoindre le bateau à la nage qu'en pataugeant dans la vase, vous vous apprêtez à plonger quand quelque chose de pointu vous frôle les épaules. Dans la seconde qui suit, vous êtes soulevé dans les airs et projeté en arrière, avant d'aller vous écraser sur la rive dans une gerbe de boue. Accrochant votre manteau de ses cornes de buffle, l'un des Gorodons vient de vous rejeter sur la berge d'un coup de tête. A demi assommé, gelé et couvert de boue, vous vous relevez en chancelant et vous dégainez votre arme. Si vous maîtrisez la Grande Discipline du Foudroiement Psychique et si vous avez atteint le rang de Grand Maître Tutélaire ou un rang supérieur, rendez-vous au **190**. Si vous ne maîtrisez pas cette Grande Discipline ou si vous n'avez pas encore atteint ce rang de Grande Maîtrise Kaï, rendez-vous au **44**.

280

Le sinistre écho de la voix de Magnaarn est couvert par des bruits de chaîne accompagnés de crissements de pierre. Vous avez à peine le temps d'alerter Prarg pour lui éviter d'être écrasé par la chute d'une lourde herse de granit. D'un souple plongeon, votre compagnon échappe à une mort affreuse, mais la herse s'abat au milieu du tunnel, vous séparant l'un de l'autre. Dans l'instant qui suit, une section de la paroi du corridor coulisse et trois Tukodaks de la Garde de Magnaarn jaillissent derrière le dos de Prarg et se jettent sur lui. Désarmé, votre camarade ne peut offrir qu'une résistance symbolique à ses agresseurs qui s'emparent de lui avec brutalité. Fou de rage, vous jurez à ces cruels Drakkarims qu'ils vont le payer au centuple, mais votre menace ne semble pas les impressionner. Ils savent certes qui vous êtes et quels sont vos pouvoirs, mais ils se croient en sûreté à l'abri de la herse. Appliquant un poignard sur la gorge de Prarg, ils vous somment de vous rendre. Si vous avez un arc et si vous désirez l'utiliser, rendez-vous au **170**. Si vous n'en possédez pas ou si vous ne voulez pas vous en servir, rendez-vous au **34**.

281

Soudain, le bourdonnement se change en vrombissement et vous voyez jaillir du nid le plus bas un essaim de Guêpes énormes, grosses comme le poing ! Percevant la chaleur de votre corps, elles piquent vers le bas du puits et se rassemblent autour de son ouverture. Elles restent un moment immobiles dans les airs, puis elle commencent à tourner le long de la voûte de la pièce, suivant en formation serrée un insecte dont le corps rayé de rouge vif contraste avec les bandes noires et jaunes des autres. Alors que l'essaim se met à tourner de plus en plus vite, vous remarquez que l'extrémité de leur abdomen commence à luire, illuminant des dards pointus comme des aiguilles. Vous dégainez, prêt à vendre chèrement votre peau, mais ce n'est d'aucune utilité car les insectes de tête projettent leurs dards dans votre direction ! Plongeant au sol, vous parvenez de justesse à esquiver mais, alors que vous vous relevez, le reste de l'essaim se sépare des premières Guêpes et vous attaque par-derrière...

GUÊPES
D'ANTAH HABILETÉ : 40 ENDURANCE : 30

Ces insectes sont insensibles à toutes les formes d'attaque psychique. Si vous sortez vainqueur de ce combat, rendez-vous au **120**.

282

Utilisant vos connaissances Magnakaï, vous cueillez sur le sol de la forêt quelques poignées de racines, de

281 *Les insectes de tête projettent leurs dards dans votre direction.*

champignons et de baies comestibles que vous offrez à Prarg. Il croit d'abord à une plaisanterie, mais il finit par accepter cette récolte et il se met à manger. « Saleté d'herbe à lapin ! » l'entendez-vous grommeler entre deux bouchées, mais il n'en laisse pas perdre une miette... Pendant qu'il se rassasie, vous scrutez la forêt. Au cours de l'heure passée, vous avez senti croître en vous la désagréable impression d'être observé et vos sens détectaient la présence d'une entité hostile venue de l'est. Cette impression s'est changée en certitude et, dès que Prarg a achevé son repas, vous lui proposez de vous remettre en route sans plus attendre. Rendez-vous au **14**.

283

Dans un élan désespéré, vous roulez sur le côté pour tenter d'esquiver la charge de la créature. La rapidité de votre réaction vous permet d'échapper à ses griffes, mais la bête a elle aussi des réflexes foudroyants. D'un nouveau bond, elle revient à l'attaque, et vous avez à peine le temps de dégainer avant qu'elle ne s'abatte sur vous...

DÉMONIAHRK HABILETÉ : 42 ENDURANCE : 42

Si vous êtes vainqueur, rendez-vous au **66**.

284

Encore sous le choc de votre terrifiant face-à-face, mais indemne, vous rejoignez le bateau en pataugeant et Prarg vous aide à monter à bord. « Vous pouvez vous vanter de vous en être bien tiré ! assure-t-il en disposant les avirons dans leurs tolets. C'est un vrai miracle que vous ayez pu vous en sortir vivant. La première fois que j'ai navigué dans ces chenaux, j'ai perdu trois de mes meilleurs hommes dans une attaque de Gorodons. Ces horreurs sont le fléau de ces maudits marais... Mais, il faut bien le dire, on peut y rencontrer d'autres créatures qui sont encore pires. Oui, bien pires... » Bientôt, vous atteignez la rive ouest et vous accostez sans difficulté pour dresser votre bivouac sur une butte qui domine une étendue de marécage. La nuit est maintenant tout à fait tombée. Réfugié sous l'abri précaire de votre embarcation retournée, vous scrutez les cieux noirs de votre regard expérimenté et vous voyez des nuages chargés de neige courir sur l'horizon. Spectacle peu réjouissant car il annonce le blizzard. Prarg s'offre à prendre le premier tour de garde mais, sentant qu'il a plus besoin de repos que vous, vous insistez pour qu'il dorme un peu. Durant quatre heures, vous restez assis, les yeux parcourant l'horizon et l'esprit agité de questions sans réponse sur l'avenir de votre mission et les périls que vous allez encore affronter. Mais vous conservez les sens en alerte, les pensées encore agitées du souvenir tout frais de votre rencontre sur l'autre rive. Heureusement, le froid semble avoir dissuadé les hôtes des Marais de l'Enfer de quitter leur tanière cette nuit et aucun incident ne vient troubler votre tour de garde. Ainsi arrive le moment de réveiller votre compagnon. Et pendant que Prarg prend son quart sans le moindre enthousiasme, vous allez vous étendre pour savourer quelques heures d'un sommeil bien mérité. Rendez-vous au **327**.

285

Une gigantesque silhouette contrefaite aux yeux rouges et affamés surgit au sommet des marches. La bête est couverte d'une fourrure qui réfléchit la lumière irréelle de la pièce. Étendant ses interminables bras décharnés, elle serre dans chacune de ses énormes mains un long silex taillé en forme de poignard. Elle s'avance sur vous, son ventre distendu traîne sur le sol et une bave brunâtre s'écoule en longs filets répugnants entre les crocs jaunis de ses mâchoires béantes. L'éboulement vous interdisant toute possibilité de fuite, vous n'avez d'autre choix que de dégainer votre arme pour affronter ce monstre de cauchemar.

CHASSEUR
SOUTERRAIN HABILETÉ : 43 ENDURANCE : 48

Si vous sortez vainqueur de ce combat, rendez-vous au **91**.

286

Les rares Chiens de Guerre qui n'ont pas péri sous vos coups détalent dans la forêt en glapissant comme des chiots apeurés. Prarg s'exclame qu'ils ne sont pas près de revenir. Mais vous n'en êtes pas si sûr et, avant de regagner le bateau pour savourer quelques heures d'un sommeil bien mérité, vous lui recommandez de rester vigilant pendant son tour de garde. Rendez-vous au **215**.

287

Le bouclier prend forme juste à temps et arrête brutalement la flèche qui se brise sous le choc. Vous entendez les exclamations stupéfaites des Drakkarims, parmi lesquelles revient plus d'une fois le mot *ziran* qui signifie magicien en dialecte Glok, murmuré avec effroi. Tandis que le courant vous entraîne vers l'aval, vous voyez les renégats escalader la berge boueuse pour prendre la fuite, convaincus qu'ils ont affaire à un puissant sorcier... Votre voyage se poursuit sans autre interruption jusqu'au moment où, vers la fin de l'après-midi, les contours d'une ville se découpent à l'horizon. Consultant votre carte, vous constatez qu'il s'agit de Konozod, place forte Drakkarim. Tandis que le courant vous en rapproche, vous intensifiez votre acuité visuelle et vous découvrez qu'elle est bâtie sur la rive gauche du Shug. Face à la ville, le fleuve est enjambé par un grand pont de pierre dont les arches sont reliées par un barrage de pieux et de chaînes qui obstrue toute la largeur des eaux. Si vous voulez laisser votre barque dériver vers ce barrage, rendez-vous au **314**. Si vous préférez l'éviter, vous pouvez accoster et poursuivre votre route à pied en vous rendant au **231**.

288

Une douleur atroce vous déchire les entrailles et un flot de sang chaud vous envahit la bouche. Un instant plus tard, la souffrance se change en engourdissement glacé et les silhouettes des arbres oscillent sous vos yeux, puis vous sombrez dans une obscurité totale dont vous n'émergerez jamais. C'est ici que votre vie et votre mission prennent fin.

289

Fonçant sur les sentinelles Drakkarims, vous dégainez votre arme et vous prévenez Prarg de se cramponner. Utilisez la *Table de Hasard*. Si vous maîtrisez la Grande Discipline de la Science des Armes et si vous avez atteint le rang de Grand Maître Principal, ajoutez 3 au chiffre que vous avez tiré. Si le résultat est inférieur ou égal à 3, rendez-vous au **209**. S'il est compris entre 4 et 8, rendez-vous au **133**. S'il est supérieur ou égal à 9, rendez-vous au **62**.

290

La serrure circulaire est protégée par un puissant charme. Essayer de la forcer pourrait se révéler fatal ! Si vous maîtrisez la Grande Discipline de l'Alchimie Kaï, rendez-vous au **207**. Sinon, rendez-vous au **101**.

291

Les projectiles filent vers vous et vers le Capitaine Prarg dans un sifflement qui vous glace le sang. Si vous maîtrisez la Grande Discipline de l'Alchimie Kaï et si vous avez atteint le rang de Grand Maître Principal, rendez-vous au **167**. Si vous ne maîtrisez pas cette Grande Discipline ou si vous n'avez pas encore atteint ce rang, rendez-vous au **334**.

292

Votre tête se fait de plus en plus lourde et tout votre être aspire au sommeil. Mais vos sens vous avertissent que, si vous commettez l'erreur de dormir ici, jamais vous ne vous réveillerez. Si vous avez un peu d'herbe d'Œde ou de Sabito, rendez-vous au **212**. Si vous ne possédez aucune de ces substances, rendez-vous au **233**.

293

Le début de votre voyage au fil de l'eau se déroule sans heurt et à bonne allure. Le lit du fleuve traverse presque en ligne droite une vaste plaine gelée avant de décrire des méandres au milieu d'une chaîne de collines noircies et marquées par la guerre. L'horizon est strié de panaches de fumée qui montent des fermes et des chaumières dévastées, et vous pouvez apercevoir les silhouettes de dizaines de corps, humains et autres, se dessiner sous l'épaisse couche de neige, gisant là où la fureur de la bataille les a privés de leur vie. Peu après la mi-journée, un spectacle en aval vous met sur vos gardes. Vous distinguez plusieurs silhouettes rassemblées au bord de la rive et, amplifiant votre capacité visuelle grâce à vos pouvoirs Kaï, vous découvrez que ce sont des Drakkarims. Probablement des déserteurs de l'armée de Magnaam occupés à pêcher, estimez-vous à mesure que vous vous en rapprochez. Si vous voulez vous cacher au fond du canot en laissant au courant le soin de vous entraîner vers l'aval pendant que vous passerez devant ces ennemis, rendez-vous au **108**. Si vous préférez ramer avec vigueur pour dépasser ce danger, rendez-vous au **69**.

294

Vous êtes conduit, en compagnie de vos éclaireurs, à un poste de surveillance installé le long de la berge, où vous êtes présenté au Baron Maquin, chef de ce groupe de mercenaires. C'est un homme de haute taille, vêtu d'habits de fourrure couverts de givre. Il est coiffé d'un heaume d'argent bosselé qui lui couvre la plus grande partie du visage couturé de cicatrices, marques de courage et d'honneur. Lorsque vous lui êtes présenté, il vous toise d'abord d'un œil sceptique car c'est la toute première fois qu'il a l'occasion de poser son regard sur un Seigneur Kaï du Sommerlund. Mais, à mesure que vous répondez à ses questions, le ton de sa voix change et il finit par s'adresser à vous avec respect. Satisfait de vos explications, il vous révèle les raisons de sa présence et de celle de ses hommes dans ces parages. « Le régiment que je commande sera toujours fidèle au Roi Sarnac ! assure-t-il en bombant le torse. Ce qui n'est guère le cas de cette bande de traîtres et de couards des pays de la Storn. Désormais, ils combattent contre Lencia, aux côtés de l'ennemi, éructe le Baron en ponctuant son propos d'un vigoureux crachat dans la neige. Le haut commandement m'a donné l'ordre de m'embusquer avec mes hommes dans cette position d'arrière-garde, afin d'attaquer toute force Drakkarim qui tenterait de gagner Dhârk par le fleuve. Car nous avons de bonnes raisons de croire que de nombreux renforts ennemis sont parvenus à Konozod et nous devons tout faire pour les empêcher de rejoindre Magnaarn... » Entendant ce discours, vous révélez au Baron que vous arrivez de Konozod, vide de tout

294 *Le Baron Maquin, lorsque vous lui êtes présenté, vous toise d'abord d'un œil sceptique.*

ennemi, et où vous n'avez pu apercevoir l'arrivée du moindre renfort. Avec le plus grand respect, vous lui suggérez de s'associer à votre troupe avec ses hommes afin de rejoindre le gros de l'armée Lencienne à Dhârk. Après avoir réfléchi et consulté ses soldats, le Baron revient en souriant pour vous assurer qu'il se range à votre avis. « Mais avant toute chose, déclare-t-il en vous écrabouillant la main d'une poigne amicale, allez donc chercher vos hommes pour qu'ils rejoignent notre camp. Il fera bientôt nuit et il serait dangereux de descendre la rivière dans l'obscurité. L'ennemi serait trop heureux de vous tendre une embuscade dans de telles conditions ! » Rendez-vous au **262**.

295

Dès que la voie est libre, vous bondissez hors du fossé et vous vous faufilez dans une brèche de la palissade. Vous n'êtes qu'à quelques mètres de la cabane lorsque deux cavaliers Drakkarims arrivent au galop par une piste forestière menant au camp. Craignant qu'ils ne vous surprennent, vous vous ruez sur la porte de la cabane et vous y pénétrez en la claquant derrière vous. Vous y surprenez un sergent Drakkarim manifestement fort occupé à se délecter de la réserve de vin de son commandant. Le soudard au visage rubicond s'étrangle à moitié en entendant la porte s'ouvrir, répandant un flot de vin rouge sur sa barbe hirsute, mais sa frayeur se change en colère lorsqu'il s'aperçoit que c'est vous, et non son capitaine, qui venez de faire irruption dans la pièce. Poussant un juron, il vous lance la bouteille entamée à la tête. Vous n'avez aucun mal à esquiver le projectile, mais le rusé sergent met cet instant à profit pour dégainer sa lourde épée. Sa trogne se fend d'un rictus et votre cœur s'arrête presque de battre quand vous vous rendez compte qu'il s'apprête à appeler à l'aide. Vous devez réduire ce fâcheux au silence avant qu'il ait alerté tout le camp ! Si vous maîtrisez la Grande Discipline de l'Alchimie Kaï, rendez-vous au **232**. Si ce n'est pas le cas, rendez-vous au **198**.

296

Vous explorez les ruines fumantes sans découvrir grand-chose qui ait survécu à l'incendie, lequel a dû faire de cette ville une fournaise. Les ossements et les crânes carbonisés sont éparpillés un peu partout et personne ne semble s'être soucié de les ensevelir. En examinant les vestiges d'une hache de fer, vous percevez soudain une présence : un être encore vivant, mais très faible et déchiré par la souffrance. Guidé par votre instinct infaillible, vous vous dirigez vers une auberge en ruine et, parvenu sur le seuil où devait se dresser la porte principale, vous vous immobilisez, l'oreille aux aguets. Vous détectez un bruit de respiration qui semble provenir du sous-sol. Mettant vos mains en porte-voix vous criez au Capitaine Schera de venir vous rejoindre. « Que se passe-t-il ? » demande-t-il peu après en entrant dans les décombres de l'auberge. « Il y a un survivant par ici, répondez-vous. Il doit être quelque part là-dessous. » Avec l'aide du Capitaine, vous dégagez quelques débris et vous découvrez une trappe dans le plancher. Vous descendez avec circonspection une volée de marches de pierre qui plonge dans la pénombre d'une cave. Le bruit de respiration est à peine audible, mais vos soupçons ne tardent pas à être confirmés : il y a bien quelqu'un ici... Rendez-vous au **197**.

297

La bête émet un rugissement en se ruant sur vous, faisant étinceler ses crocs en forme de sabre dans le pâle soleil hivernal. Vous avez à peine le temps de faire un bond en arrière pour dégainer votre arme avant qu'elle ne s'abatte sur vous.

MAHAW HABILETÉ : 38 ENDURANCE : 50

Cette créature est insensible aux effets de la Puissance Psychique et du Foudroiement Psychique. Si vous choisissez de faire appel à la Grande Discipline du Foudroiement Psychique, n'ajoutez que 1 point à votre HABILETÉ. Si vous maîtrisez la Grande Discipline de l'Alchimie Kaï et si vous avez atteint le rang de Grand Maître Principal (ou un rang supérieur), vous pouvez augmenter vos totaux d'HABILETÉ et d'ENDURANCE de 5 points pour la durée du combat. Si vous êtes vainqueur, rendez-vous au **24**.

298

« Pile ! » choisit enfin Prarg. Vous dévoilez la pièce et, comme vous l'aviez prévu, le Capitaine voit apparaître sous ses yeux déconfits le visage altier du roi Ulnar V gravé sur son côté face. « Allons, mon vieux, ne faites pas cette tête-là, ce n'est pas si terrible, le consolez-vous en vous efforçant et ne pas avoir l'air trop réjoui par la tournure des événements. Vous verrez, le temps passera vite. Réveillez-moi dans quatre heures et je prendrai votre place. » Sur ce, vous allez installer votre couche dans le confort tout relatif du fond du canot pendant que Prarg rassemble son équipement et ses armes pour grimper au sommet du Roc de l'Ours et entamer sa veille solitaire dans le froid glacial de la nuit. Rendez-vous au **250**.

299

Délestant le Drakkarim mort de ses possessions dont, de toute façon, il n'aura plus jamais l'usage, vous mettez au jour les objets suivants :
Un poignard
Une épée
Une bouteille vide
Un arc
Deux flèches
Une pelote de ficelle
40 Kikas (équivalant à 4 Pièces d'Or)
Vous êtes sur le point d'abandonner le cadavre lorsque vous remarquez un objet brillant qui dépasse de sa botte gauche. C'est un Bâton d'Argent, lisse et dépourvu d'inscription, d'environ dix centimètres de long. Si vous désirez emporter ce Bâton d'Argent, inscrivez-le sur votre *feuille d'Aventure* dans la liste des Objets Spéciaux. Estimant que vous avez examiné tout ce qui en valait la peine, vous commencez à déblayer l'amas de roche et de gravats qui obstrue l'escalier menant au niveau supérieur. Rendez-vous au **18**.

300

Émergeant du puits, vous jetez un regard circulaire sur les ruines croulantes d'Antah. Vous avez débouché sur le toit plat d'une crypte délabrée à quelques centaines de mètres de la tour par laquelle vous aviez pénétré dans le temple souterrain. Un vent glacial balaie la cime des arbres en gémissant et la couleur sombre du ciel indique que la nuit est proche. Les ruines semblent désertes, et le tapis de neige qui recouvre le sol, dissimulant toute trace, vous rappelle avec amertume que quinze précieuses journées se sont écoulées depuis que vous avez été enseveli. Songeant au Capitaine Prarg, vous vous demandez s'il est toujours en vie, et vous sentez votre estomac se nouer en imaginant le sort funeste qui le menace ainsi que tous ses compatriotes Lenciens maintenant que l'infâme Magnaarn est entré en possession de la Pierre Maudite... La peur vous étreint, mais tout espoir ne vous a pas abandonné. En effet, le Seigneur de la Guerre doit être à présent persuadé de votre mort et peut-être pourrez-vous tirer avantage de cette fausse certitude. Après tout, ne vous a-t-il pas lui-même avoué que vous représentiez l'unique menace susceptible de brouiller ses rêves de victoire ? Après être descendu avec précaution du toit de la crypte, vous vous enfoncez dans la forêt pour rejoindre la clairière où, deux semaines auparavant, les Tukodaks de la Garde de Magnaarn avaient établi leur campement. Il n'y subsiste aucune trace visible de leur passage mais, sans vous décourager, vous entreprenez d'examiner avec minutie l'épaisse couche de neige qui recouvre le site, dans l'espoir de découvrir dans quelle direction ils sont partis. Si vous maîtrisez la Grande Discipline de l'Exploration, rendez-vous au **173**. Sinon, rendez-vous au **320**.

301

La douleur déferle dans votre corps mais votre force intérieure vous permet de la contrôler. Quant aux deux gardes qui vous ont blessé, ils le paient très vite : votre cheval les renverse et les piétine à mort dans sa course. Dans l'instant qui suit, vous franchissez comme le vent la brèche de la barricade et vous galopez à bride abattue le long de la route qui se poursuit au-delà. Vous avez ainsi franchi avec succès la ligne de défense intérieure de la ville mais, comme Prarg vous l'indique en tendant un doigt inquiet, vous devez encore atteindre les défenses extérieures de Shugkona... Rendez-vous au **31**.

302

Soudain, le noir volatile prend peur et s'envole en émettant un croassement lugubre avant de s'enfuir à tire-d'aile vers le nord. Rendez-vous au **328**.

303

Avec l'aide de Prarg, vous fixez les avirons dans leurs tolets et vous vous mettez à ramer avec énergie pour regagner l'endroit où le chenal se divise en deux branches. Revenus à ce point, vous immobilisez l'embarcation afin de prendre une nouvelle décision. Finalement, vous vous engagez à contrecœur dans le chenal de gauche. Dans le souci de faire aussi peu de bruit que possible, vous rentrez les avirons et vous abandonnez la propulsion du bateau à la seule force du vent. Peu à peu, vous vous approchez du groupe de huttes et, arrivés à leur hauteur, vous constatez qu'elles sont au nombre de huit, édifiées au moyen de racines enchevêtrées plaquées de boue et couvertes de toits grossiers constitués de végétaux. Elles sont vides, mais pas abandonnées. La berge est jonchée d'ossements et vous pouvez voir les peaux d'un serpent et d'un lézard tendues à sécher sur un cadre de bois. « C'est un camp de Ciqualis », murmure Prarg d'une voix emplie de nervosité en scrutant les eaux à la recherche du plus petit signe de mouvement. Au cours de vos voyages, vous avez souvent entendu parler des Ciqualis... En vérité, ces abominables créatures sont le fléau – du moins, l'un des principaux fléaux – des Marais de l'Enfer. Friands de chair humaine, rusés, ces êtres amphibies constituent la plus redoutable des menaces. « La chance est avec nous, Loup Solitaire, chuchote Prarg tandis que le vent vous éloigne des huttes. Le camp est vide – ils doivent être à la chasse. Nous avons été heureux de passer par là à ce moment ! » Aussitôt hors de vue du village, vous vous empressez de hisser à nouveau la voile et, poussés par un vent bienveillant, vous poursuivez votre route vers le nord en remontant la Bouche de Dakushna... Vous commencez à ressentir un léger creux au fond de l'estomac et, à moins de maîtriser la Grande Discipline de l'Art de la Chasse, vous devez prendre un Repas pour éviter de perdre 3 points d'ENDURANCE. Rendez-vous au **322**.

304

Votre instinct Kaï vous avertit que la Clef Verte qui se trouve en votre possession peut ouvrir cette porte. Sans perdre de temps, vous la tirez de votre Sac à Dos, vous l'introduisez dans la serrure et vous la tournez franchement. Aussitôt, avec un léger déclic, la porte pivote sur une simple poussée, révélant une chambre sombre aux murs de brique. Si vous maîtrisez la Grande Discipline de l'Art de la Chasse, rendez-vous au **196**. Si ce n'est pas le cas, rendez-vous au **126**.

305

Dès que la voie est libre, vous vous glissez dans les écuries et vous mettez le feu aux réserves de fourrage à l'étage supérieur. Puis, avant de sortir, vous ouvrez les portes de toutes les stalles afin que les chevaux puissent s'échapper. Cela fait, vous regagnez la ruelle et vous faites le tour de l'armurerie jusqu'à une fenêtre sur l'arrière du bâtiment. Elle est fermée et renforcée d'épais barreaux, mais pas assez, toutefois, pour vous empêcher de la forcer en recourant à vos pouvoirs Kaï. Malheureusement, votre intrusion ne se déroule pas sans quelques bruits intempestifs qui n'échappent pas aux oreilles de deux gardes Drakkarims postés à l'intérieur. Alors que vous achevez de vous faufiler à travers l'ouverture exiguë de la fenêtre, les deux brutes se ruent sur vous sabre au clair !

GARDES DE L'ARMURERIE   HABILETÉ : 32   ENDURANCE : 40

A moins de maîtriser la Grande Discipline de l'Exploration, la position délicate dans laquelle vos adversaires vous surprennent vous contraint à réduire de 3 points votre HABILETÉ pendant le premier Assaut. Si vous sortez vainqueur de ce combat, rendez-vous au **166**.

306

Alors que vous approchez du pied de la tour, vos sens aiguisés sont assaillis par la puanteur qui s'échappe de l'ouverture et vous n'avez pas grand mal à deviner qu'un enclos à sangliers est installé sous l'édifice, enclos désormais vide, à en croire vos infaillibles facultés Kaï. L'arme au poing, vous pénétrez dans la salle puante à la recherche d'une porte susceptible de donner accès aux étages de la tour de guet. Vous en trouvez bien une, mais elle est verrouillée de l'intérieur. Plutôt que de perdre de précieuses minutes à la forcer, vous préférez ressortir. Mais en retraversant l'enclos tapissé de paille, votre regard tombe par hasard sur un fouet de cuir huilé suspendu à une cheville. (Si vous désirez emporter ce fouet à Sanglier, inscrivez-le sur votre *Feuille d'Aventure* dans la liste des Objets que vous transportez dans votre Sac à Dos.) Une fois dehors, vous faites le tour du bâtiment et vous voyez le Capitaine Prarg émerger de la porte au sommet de l'escalier. Rengainant son épée ensanglantée, il dévale les marches pour vous rejoindre. « Ce garde-là ne gardera plus rien... dit-il avec un sourire sinistre en montrant la porte de la tour. Et les autres ne risquent pas non plus de le trouver trop tôt. » Vous le félicitez de la rapidité de son action. Puis, il désigne une ruelle qui s'ouvre entre les carcasses de deux hangars carbonisés et propose de l'emprunter. « Passez devant, Capitaine », répondez-vous avec un hochement de tête approbateur, et vous vous élancez à sa suite. Rendez-vous au **178**.

307

A votre profonde surprise, la porte n'est pas verrouillée. Vous l'ouvrez d'une simple poussée, découvrant une salle vide. En y pénétrant, vous percevez les émanations d'une puissance maléfique et vous prévenez Prarg de cette menace. Vous quittez cette chambre par un couloir qui vous conduit au pied d'une volée de marches de pierre noire. Arrivés au sommet, vous vous retrouvez dans une chambre coiffée d'une coupole elle aussi revêtue d'une roche noire usée par le temps. La plus grande partie des murs est recouverte de tentures de la même teinte macabre, qui est également celle de tout le mobilier. La sensation maléfique est plus forte en ce lieu, si forte que vous en suffoquez presque ! « Elle est ici... murmurez-vous en empoignant votre arme. La Pierre Maudite est ici ! Je sens sa présence. » Soudain, vous percevez un mouvement à gauche et, tournant la tête, vous voyez une boule d'énergie foncer vers votre visage. Vous parvenez à l'esquiver en plongeant sur le côté, mais la balle poursuit sa course et rebondit sur le mur avant de heurter la nuque de Prarg, l'assommant net ! Rendez-vous au **161**.

308

Invoquant le sortilège de Perception Maléfique, vous sondez les sous-bois et vous détectez un danger. La menace n'est pas très proche mais les ondes de pouvoir sont fortes, bien trop fortes pour provenir d'un groupe de Drakkarims ou d'une créature de la forêt. Vous concentrez tous vos sens sur l'origine de ces vibrations maléfiques et vous ne tardez pas à comprendre : il s'agit de la Pierre Maudite de Dhârk ! « Qu'y a-t-il, messire ? » interroge Prarg, inquiet de la soudaine gravité de votre visage. « Cest la Pierre Maudite ! répondez-vous avec lenteur. Elle est toute proche... je peux la sentir... » Rendez-vous au **45**.

309

Prarg accepte avec soulagement et gratitude votre offre de prendre le premier tour de garde. Pendant qu'il improvise sa couche dans le confort tout relatif du canot, vous escaladez le Roc de l'Ours. Au sommet, vous vous enveloppez dans votre manteau pour entamer cette veille solitaire. Pendant quatre heures, vous restez assis sur le rocher battu par les vents, scrutant la forêt à travers un rideau de neige tourbillonnante. Malgré la fatigue, vous vous forcez à ne pas relâcher votre vigilance. Peu avant minuit, vous détectez des mouvements à la lisière des bois. Vos sens aiguisés de Grand Maître Kaï ne tardent pas à détecter une odeur animale dans l'air froid. Une odeur que vous connaissez bien : celle de l'Akataz ! Rendez-vous au **163**.

310

Les traces des Drakkarims s'arrêtent devant une précaire jetée de bois qui s'avance au-dessus des eaux rapides et profondes du Shug. Vous examinez avec soin

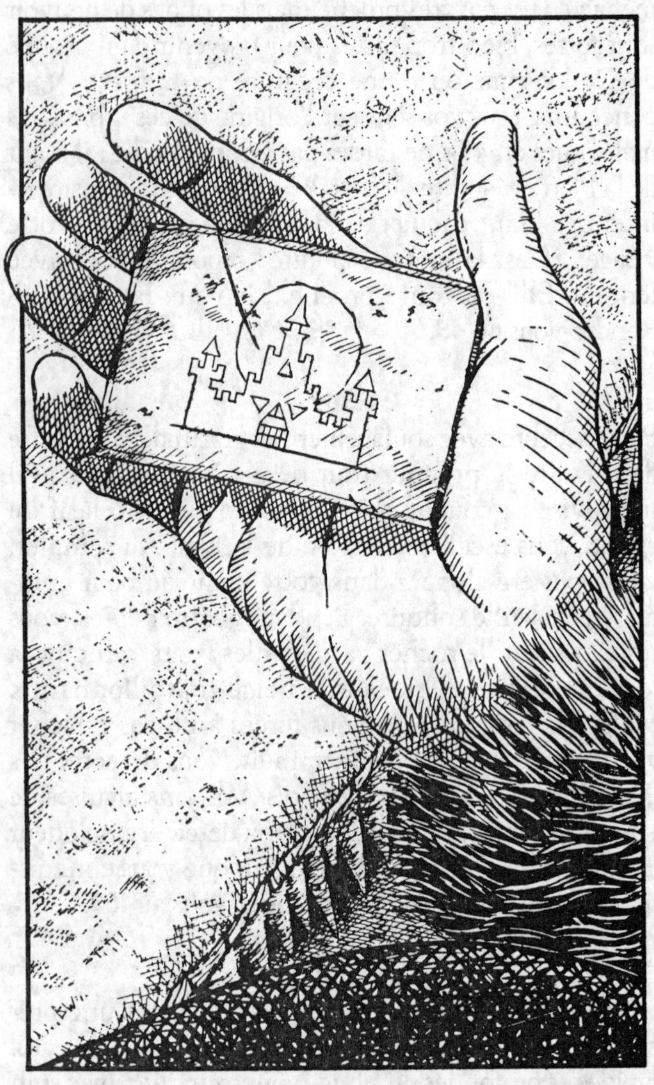

310 *Vous trouvez dans la neige une boucle de ceinturon gravée du symbole d'une forteresse.*

le sol autour de ce débarcadère et, grâce à l'acuité que vous confèrent vos pouvoirs Kaï, vous faites deux découvertes. En premier lieu, Magnaarn et ses hommes ont embarqué ici même, à bord d'une barge, pour descendre le courant en direction de Dhârk. Mais plusieurs indices vous laissent à penser qu'une autre troupe, bien plus nombreuse, s'est rassemblée au même endroit. Des crottes de Loups Maudits et des dents de Gloks vous donnent une idée de la composition de la troupe en question, mais vos suppositions se transforment en certitude lorsque vous trouvez dans la neige une boucle de ceinturon gravée du symbole d'une forteresse se découpant sur une pleine lune : l'emblème de Kagorst, l'ancienne forteresse des Seigneurs des Ténèbres ! Kagorst qui, comme c'était à craindre, aurait donc fini par se rallier à la cause de Magnaarn... Harassé par la route que vous venez de parcourir, vous décidez de passer la nuit dans une cabane. Rendez-vous au **188**.

311

Constatant avec satisfaction que les deux Tukodaks sont aussi morts qu'on peut l'être, vous rengainez et vous faites signe à Prarg que la voie est libre. Votre compagnon jaillit des arbres et vous rejoint au pas de course. En connaisseur, il ne manque pas de vous complimenter sur la façon dont vous avez réglé le compte de ces deux brutes, tout en vous aidant à dissimuler leurs cadavres dans les ruines. Avant de les abandonner, vous les fouillez, récoltant les objets suivants :
De la nourriture pour 1 Repas

Un poignard
Deux épées
Un arc
Quatre flèches
Si vous désirez emporter un ou plusieurs de ces objets, n'oubliez pas de modifier votre *Feuille d'Aventure* en conséquence. Vous franchissez ensuite les portes de la tour. Rendez-vous au **221**.

312

Ralentissant l'allure de votre monture, vous rassemblez dans votre esprit toute la force de vos pouvoirs psychiques et vous projetez une décharge d'énergie dans les cerveaux des trois sentinelles. Le résultat ne se fait pas attendre : les trois soldats lâchent leur lance pour se prendre la tête à deux mains, le corps secoué de tremblements. Incapables de s'écarter devant votre cheval, ils sont renversés comme des quilles tandis que vous franchissez l'étroite brèche dans la barricade avant de poursuivre votre course folle le long de la route. Vous avez franchi avec succès la ligne de défense intérieure de la ville mais, comme Prarg vous l'indique en tendant un doigt inquiet, vous devez encore atteindre les défenses extérieures de Shugkona... Rendez-vous au **31**.

313

Non sans difficulté, vous parvenez à vous hisser sur la glace, puis à tirer hors de l'eau votre compagnon sans connaissance. La peau du malheureux a pris une teinte violette et c'est à peine s'il respire encore. Utilisant vos pouvoirs de guérison, vous lui insufflez une partie de votre chaleur en apposant les mains sur sa poitrine et son visage et, en quelques minutes, il sort de son état de choc et retrouve sa température normale. Votre action rapide lui a sauvé la vie, mais elle vous a également coûté 3 points d'ENDURANCE. Modifiez votre total d'ENDURANCE en conséquence et rendez-vous au **157**.

314

Luttant contre la puissance du fleuve qui vous entraîne vers l'obstacle, vous ramez à contre-courant afin de ralentir votre embarcation et éviter qu'elle ne heurte le barrage de chaînes et de rondins. Vous avez en effet aperçu sur le pont des sentinelles Drakkarims dont l'attention ne manquerait pas d'être attirée par une collision. Manœuvrant avec toute la dextérité voulue, vous obliquez vers le bord de façon à freiner le canot en laissant son étrave racler la rive boueuse, jusqu'à ce qu'il vienne s'immobiliser en douceur contre le barrage. Sans perdre une seconde, vous bondissez sur le rondin le plus proche et vous rejoignez la berge en parcourant le reste de la rangée tel un funambule, eu égard à la couche de glace qui la recouvre. Après avoir gravi, d'un pas aussi rapide que la prudence le permet, un escalier de bois branlant qui monte jusqu'à rentrée du pont, vous vous accroupissez derrière le parapet pour étudier les défenses de la ville et évaluer le nombre de soldats Drakkarims qui y sont cantonnés. La cité est un morne ensemble de bâtiments, tous plus ou moins endommagés par la guerre, entourés d'une palissade de rondins qui a dû être étayée et réparée à maints endroits. Cette place forte a été le théâtre de féroces batailles depuis l'an passé, et les stigmates de la guerre y sont partout visibles. Une route semée d'ornières franchit le pont avant de courir en ligne droite jusqu'aux portes de la ville. Vous observez les sentinelles postées sur le pont et autour des portes, mais tout ce que vous apercevez vous emplit de doutes. La cité est étrangement calme et semble faiblement défendue. La garnison Drakkarim est peu nombreuse et les soldats que vous avez pu apercevoir sont, pour la plupart, très jeunes, très vieux ou éclopés. La nuit commence à tomber, les Drakkarims allument des torches tout le long du mur d'enceinte tandis qu'une relève de garde a lieu à la porte principale. A ce moment, un chariot chargé de paille franchit le pont et s'arrête un peu plus loin. Le conducteur descend péniblement de son siège en maudissant son dos perclus de courbatures, puis il s'éloigne vers un des baraquements qui s'alignent en petit nombre entre le fleuve et le mur d'enceinte. Profitant de son absence, vous vous faufilez jusqu'à l'arrière du chariot et vous vous enfouissez dans la paille. Peu de temps après, vous entendez résonner à nouveau la voix éraillée du conducteur et vous sentez le chariot osciller sous son poids lorsqu'il reprend place sur son siège. Un coup de fouet claque et, dans une secousse, le fourgon s'avance vers la grande porte. Rendez-vous au **222**.

315

Un bruit de pas résonne sur les dalles du couloir, et un soldat Lencien en grand uniforme de Capitaine de la Cour fait son entrée dans la pièce. L'homme est d'une taille supérieure à la normale, mais l'aspect frappant de sa physionomie est son visage aux yeux brillants et rapprochés, surmontant un nez fin en bec d'aigle et une moustache noire broussailleuse. Des traits que vous avez reconnus dès le premier regard car cet officier n'est autre que le Capitaine Prarg ! Vous vous souvenez de votre dernière (et première) rencontre comme si c'était hier : au cours de la bataille de Cetza, vous avez mené côte à côte les réserves du Prince Graygor dans une contre-attaque décisive qui devait sauver du massacre la Garde Eruane et renverser le cours du combat en votre faveur. « C'est une grande joie de vous revoir, messire ! s'exclame l'excellent Capitaine avec un large sourire. Et c'est pour moi un honneur que d'avoir été choisi pour vous servir de guide. » Rendez-vous au **80**.

316

L'éclaireur porte deux doigts à sa bouche et pousse un long sifflement modulé. Aussitôt, les mercenaires se retournent et scrutent le sous-bois dans votre direction, puis l'un d'eux émet deux sifflements en réponse. Votre éclaireur demande alors qu'on vous laisse entrer dans le campement. Son appel est suivi d'un long silence, puis une voix teintée d'un fort accent lance : « Montrez-vous ! » Lorsqu'ils vous voient tous quatre vous relever et avancer vers eux avec lenteur, les hommes de la Ligue d'Ilion sont visiblement soulagés de constater que vous ne ressemblez pas à des Drakkarims. Dès lors, ces soldats de fortune vous offrent un accueil des plus chaleureux, et deux d'entre eux vous proposent avec déférence de vous conduire auprès de leur chef, le Baron Maquin. Rendez-vous au **294**.

317

Abandonnant l'abri que vous offre le pont, vous progressez au fond du fossé gelé jusqu'à ce que vous vous retrouviez en face de la tour de guet. De cette nouvelle position, vous épiez les sentinelles Drakkarims qui veillent sur le secteur. Vous ne pouvez guère apercevoir que leurs trognes se découpant à travers la fente horizontale de la meurtrière qui court sur toute la circonférence de la tour. Mais, au bout d'un certain temps, trois des quatre Drakkarims quittent l'édifice par un escalier extérieur. Considérant qu'un seul d'entre eux est resté dans les lieux, vous estimez que c'est le moment ou jamais de passer à l'action. Il faudrait en effet être stupide pour attendre le retour de ses trois acolytes avant d'attaquer ! Prarg insiste pour passer le premier car il a déjà franchi ce glacis et connaît le chemin qui permet de le traverser sans danger. Il vous explique que, si le terrain qui s'étend devant la ligne de tranchée semble dépourvu d'obstacles, il est en réalité truffé de fosses prêtes à engloutir l'envahisseur imprudent. Vous acquiescez d'un hochement de tête et, dès que le garde détourne un moment la tête de la meurtrière, votre compagnon bondit hors du fossé. Courbé en deux, il entame une course étrange, faite de brusques accélérations et de zigzags qui lui permettent d'éviter les pièges tout en perdant le minimum de temps. Parvenu au pied de la tour, il se dissimule sous les marches de l'escalier extérieur avant de vous faire signe de venir. Prenant une profonde inspiration, vous vous élancez à votre tour à travers le glacis. Le cœur battant, vous courez vers la tour en prenant garde de poser vos pas dans les traces laissées par Prarg dans la neige. Vous avez franchi la moitié de la distance qui vous sépare de la tour quand le visage du garde reparaît soudain dans l'ouverture de la meurtrière. Vous priez tous vos dieux que vos pouvoirs de camouflage vous dissimulent à sa vue quelques secondes encore, mais vous remarquez un détail qui vous fait douter de vos chances... La sentinelle vient d'élever devant ses yeux un étrange carré de verre, dont vous percevez sur-le-champ les propriétés magiques ! Utilisez la *Table de Hasard.* Si vous maîtrisez la Grande Discipline de l'Art de la Chasse et si vous avez atteint le rang de Grand Maître Tutélaire ou un rang supérieur, ajoutez 1 au chiffre que vous avez tiré. Si vous maîtrisez la Grande Discipline de l'Invisibilité, ajoutez 2 au chiffre tiré. Si le résultat est inférieur ou égal à 3, rendez-vous au **249**. S'il est compris entre 4 et 6, rendez-vous au **67**. S'il est supérieur ou égal à 7, rendez-vous au **74**.

318

Une gigantesque créature contrefaite arrive le long de la chaussée, couverte d'une fourrure qui reflète la lumière verdâtre du tunnel et pourvue d'un ventre proéminent et ballonné qui balaie le sol à chacun de ses pas. Au bout de ses bras décharnés, la bête serre dans chaque main un long silex taillé en forme de poignard et, comme elle se rapproche de vous, la gueule béante, vous pouvez voir une bave brunâtre s'écouler entre ses longs crocs jaunis. La lourde grille interdisant toute fuite, vous n'avez d'autre choix que de dégainer !

CHASSEUR
SOUTERRAIN HABILETÉ : 43 ENDURANCE : 48

Si vous sortez vainqueur de ce combat, rendez-vous au **162**.

319

Utilisant vos pouvoirs Magnakaï, vous ordonnez à votre cheval fourbu de descendre la colline et de traverser le pont. Avec un peu de chance, vos poursuivants continueront à suivre ses traces en vous laissant le temps de vous évanouir dans une autre direction. Tandis que votre monture s'éloigne docilement, vous faites signe à Prarg de vous suivre dans les profondeurs de la forêt. Guidé par votre instinct et vos infaillibles facultés d'exploration, vous vous enfoncez sous les arbres en vous orientant vers le nord-ouest, suivant une direction qui devrait vous conduire au Temple d'Antah et au redoutable Magnaarn. Vous avez parcouru un peu plus de trois kilomètres lorsqu'un grondement vous fige tous deux sur place. « Sur... sur la droite ! » bégaie Prarg. Vous pivotez sur les talons pour voir une créature terrifiante émerger du sous-bois... Rendez-vous au **20**.

320

Le site du campement semble avoir été nettoyé par des mains expertes et il ne subsiste guère de traces susceptibles de trahir le passage du Seigneur de la Guerre et de sa garde. Cependant, vous parvenez à découvrir sous la neige des empreintes d'hommes et de chevaux, vieilles d'un peu plus d'une semaine. Satisfait, vous quittez la clairière pour suivre leur piste vers l'ouest. Si vous maîtrisez la Grande Discipline du Contrôle Animal et si vous avez atteint le rang de Grand Maître Tutélaire, rendez-vous au **227**. Si vous ne maîtrisez pas cette Grande Discipline ou si vous n'avez pas atteint le rang voulu, rendez-vous au **131**.

321

A votre grand soulagement, votre seconde flèche occit sur-le-champ le Chevalier de la Mort. Replaçant votre arc sur l'épaule, vous enjambez son corps massif et vous vous élancez le long du corridor, suivi de près par votre compagnon. Bientôt, vous arrivez à une intersection qui vous oblige à choisir entre deux directions : la gauche et la droite. Déployant vos pouvoirs Kaï, vous détectez une présence maléfique émanant du passage de droite. Il vous suffit de vous concentrer un instant pour avoir la certitude qu'il s'agit de la Pierre Maudite. Vous avertissez Prarg de ce que vos sens vous indiquent et, plus que jamais sur vos gardes, vous longez ensemble le couloir jusqu'à une porte close. Si vous maîtrisez la Grande Discipline de l'Art de la Chasse ou la Grande Discipline de l'Exploration, rendez-vous au **214**. Si vous ne maîtrisez ni l'une, ni l'autre, rendez-vous au **229**.

322

Au cours des heures qui suivent, le niveau de l'eau s'élève jusqu'à recouvrir la plupart des bancs de vase.

Çà et là, des bosquets d'épineux émergent telles des sentinelles sur des îlots qui affleurent la surface des eaux noires. Suivant avec fidélité le pâle soleil d'hiver dans son précoce coucher quotidien, le vent tombe et votre voile pend de façon lamentable. Acceptant cette fatalité sans un soupir, vous laissez à Prarg le soin d'amener la toile tandis que vous placez les avirons dans les tolets. Un instant plus tard, vous ramez côte à côte avec une énergie calculée, attentifs à la direction du courant qui, en toute logique, devrait vous indiquer l'embouchure de la Gourneni. Cependant, les eaux du chenal sont si lourdes de vase que vous vous trouvez l'un comme l'autre incapables de déterminer la direction du courant ! Il fait presque nuit lorsque vous atteignez enfin l'embouchure. La Gourneni se jette avec paresse dans le marais, formant un passage jonché d'épaves de bois mort et de bancs de vase qui obstruent l'essentiel des cinquante mètres de largeur de son lit. Estimant qu'il serait stupide de vous obstiner à poursuivre votre navigation à un endroit aussi périlleux

dans l'obscurité, vous décidez d'accoster et de bivouaquer en attendant que la lueur du jour vous permette de poursuivre votre progression. Utilisant toute la finesse de vos pouvoirs Kaï de détection, vous sondez les deux rives. Mais, à votre grand désarroi, elles se révèlent à peu près aussi peu accueillantes l'une que l'autre... Si vous décidez d'établir votre campement sur la rive ouest, rendez-vous au **135**. Si vous optez pour la rive est, rendez-vous au **84**.

323

Extirpant le sac de sa cachette, vous le videz de son contenu. Une profusion de Pièces d'Or vient s'entasser à vos pieds, accompagnée de joyaux et de pierres précieuses, sans parler d'un nombre affreux de dents en or, arrachées sans doute aux mâchoires de chevaliers Lenciens tombés face à l'ennemi. Vous finissez par déceler, au milieu de cet infâme butin, un objet doté de propriétés magiques. Après l'avoir extirpé de ce fatras et examiné de près, vous constatez qu'il s'agit d'une amulette de jade attachée à un fin collier d'or. (Si vous désirez emporter cette Amulette de Jade, notez sur votre *Feuille d'Aventure* qu'il s'agit d'un Objet Spécial que vous portez autour du cou. Il possède l'étonnante propriété d'augmenter de 1 point tout chiffre que vous tirez de la *Table de Hasard* lorsque vous êtes confronté à des projectiles ordinaires, tels que flèches, carreaux d'arbalète, etc.) Après avoir replacé le sac dans son trou, vous vous enveloppez dans votre manteau et vous vous approchez de la grande porte de la cité. Trop occupées à surveiller l'entrée d'une nouvelle colonne de prisonniers, c'est à peine si les sentinelles vous jettent un regard, et vous pénétrez dans la ville d'un pas assuré. Vous vous dirigez vers une ruelle déserte qui s'ouvre entre une écurie et une armurerie. Tapi dans la pénombre, vous observez le camp de prisonniers avec une fureur grandissante et une compassion profonde pour les malheureux qui y sont parqués. Ému par leur sort, vous vous jurez de faire tout ce qui est en votre pouvoir pour les sauver. Après avoir étudié les mouvements des patrouilles, vous profitez d'un moment favorable pour courir vers l'enceinte du camp, avide de rentrer en contact avec les Lenciens. Rendez-vous au **150**.

324

Pénétrant dans l'entrepôt par une fenêtre brisée, vous ne tardez pas à trouver une cachette au milieu des rouleaux de toile poussiéreux entreposés au rez-de-chaussée. A plusieurs reprises, des Drakkarims pénètrent dans le bâtiment pour le fouiller, mais aucun ne détecte votre présence. Pendant que vous vous dissimulez aux yeux de ces patrouilles, vous ne pouvez vous empêcher de songer au sort funeste de votre compagnon et vous sentez croître votre inquiétude à son égard. En outre, vous redoutez que, sous la torture, il n'en vienne à révéler votre présence, votre identité et les raisons qui vous ont amené à pénétrer dans la ville. Bien décidé à empêcher une telle catastrophe, peu avant minuit, vous vous glissez hors de votre cachette et vous vous dirigez à pas furtifs vers la prison de Shugkona. Rendez-vous au **260**.

325

« Vite, Prarg, soufflez-vous d'une voix inquiète à votre compagnon. Il ne faut pas traîner par ici. Je sens qu'il y a d'autres pièges dans les parages... » Sans discuter, le Capitaine s'élance sur vos talons le long du corridor qui ne tarde pas à déboucher dans une chambre illuminée par de nombreuses torches. En y pénétrant, vous êtes accueillis par un spectacle pour le moins surprenant... Du sol au plafond, la salle est recouverte de roche luisante et noire comme l'ébène. A la lueur des torches, vous découvrez un trône de marbre grossièrement taillé sur lequel repose la dépouille squelettique d'un guerrier vêtu de fourrures. La blancheur de ses os transparaît faiblement sous un entrelacs de muscles et de tendons desséchés, et un heaume d'or massif repose sur son crâne. Une émeraude grosse comme le poing est sertie dans le frontal de ce casque. Attiré par cette pierre somptueuse, Prarg s'approche du trône, mais il s'immobilise à l'instant où vous le prévenez que le heaume est protégé par un piège magique. Vous pouvez sentir le sortilège qui entoure le trône : le simple fait de toucher la coiffe suffirait à le déclencher, libérant une décharge d'énergie destructrice. La perspective de se voir réduit en cendres ayant refroidi la curiosité de Prarg, il revient près de vous d'un air penaud. Vous prenez soin de passer le plus loin possible du trône piégé pour quitter la salle par un tunnel aux parois lisses qui s'ouvre dans le mur opposé. Mais vous ne vous y êtes pas enfoncé de plus d'une douzaine de pas qu'un frisson prémonitoire vous descend le long de l'échine. Vous vous figez sur place et vous dégainez votre arme. C'est alors qu'une voix profonde déchire le silence : « Bienvenue, Loup Solitaire. Bienvenue dans ta tombe ! » Et votre instinct vous dit que c'est la voix du Seigneur de la Guerre Magnaarn. Rendez-vous au **280**.

326

Vous vous débattez, essayant de toutes vos forces d'obliger cette bête à lâcher prise. En désespoir de cause, vous dégainez votre arme et vous frappez les tentacules qui vous emprisonnent les jambes. Mais la peau qui recouvre les appendices de cette créature semble forgée dans le bronze, et c'est à peine si vous lui infligez une égratignure ! Reprenant votre sang-froid, vous utilisez votre prodigieuse perception Magnakaï afin de détecter son point faible, qui n'est autre que son œil unique ! Au lieu de tenter de vous échapper, vous plongez sans hésiter à sa rencontre et vous l'attaquez avec une énergie décuplée...

LIMAGLACE HABILETÉ : 43 ENDURANCE : 50

Si vous sortez vainqueur de ce combat, rendez-vous au **243**.

327

Prarg vous réveille à l'aube. Il a neigé pendant la nuit et le canot est recouvert d'une couche immaculée. L'air glacé qui vous fouette le visage ne tarde pas à vous faire recouvrer tous vos sens, non sans susciter un tremblement dans tout votre corps. Ce désagrément est toutefois momentané : il vous suffit de faire appel à la

326 *Vous vous débattez, essayant de toutes vos forces d'obliger cette bête à lâcher prise.*

Grande Discipline Kaï du Nexus pour sentir, au bout d'un instant, une merveilleuse chaleur se répandre dans vos membres glacés... Émergeant avec précaution de la coque renversée, vous promenez le regard sur la berge couverte de neige et vous remarquez qu'elle est constellée de traces révélant le passage de créatures, mais elles sont toutes de trop petite taille pour représenter un danger. Prarg déballe quelques provisions, et, après un petit déjeuner composé de viande séchée, de pommes de terre, de bière et de fromage, vous remettez le canot à l'eau afin de poursuivre votre lente navigation vers le Roc de l'Ours... Vers le milieu de la matinée, la neige recommence à tomber et votre progression se trouve ralentie par un vent de face persistant. Grâce à vos pouvoirs Kaï, vous parvenez à manœuvrer les avirons sans relâcher votre effort. Mais votre compagnon ne dispose pas de telles ressources et, à mesure que les heures passent, le froid épuise ses forces. Au bout d'un certain temps, il se retrouve hors d'état de ramer et vous êtes contraint de manier seul les deux avirons, pendant qu'il se poste à la barre, emmitouflé dans toutes les couvertures disponibles, et s'efforce de piloter au mieux votre embarcation dans les secteurs les plus étroits et sinueux de la Gourneni... Rendez-vous au **107**.

328

Le Baron Maquin et le Capitaine Schera se montrent pressés d'éloigner leurs hommes de la rive. Leur expérience leur a appris à éviter de disposer leurs soldats le dos au mur, contre un fleuve ou un obstacle infranchissable, pour leur éviter de se retrouver acculés sans possibilité de retraite. Ce point de vue ne fait que renforcer l'estime que vous éprouvez pour ces deux hommes, et, utilisant vos pouvoirs Kaï pour amplifier l'acuité de votre vision, vous scrutez les environs à la recherche d'une position plus sûre. Vous finissez par distinguer un minuscule hameau, apparemment désert, à moins de deux kilomètres. Vous signalez cette découverte aux deux officiers qui, après s'être consultés, estiment qu'il serait sage d'y rassembler leurs troupes. L'ordre de mouvement passe entre les rangs des soldats disciplinés dont vous prenez la tête, encadré par le Baron et le Capitaine. Mais, vous avez à peine franchi le quart de la distance qui vous sépare du hameau que vos sens aiguisés détectent une menace arrivant du nord... Si vous estimez qu'il faut recommander à vos alliés de rebrousser chemin vers le fleuve, rendez-vous au **105**. Si vous pensez que vous devez au contraire vous hâter vers le hameau, rendez-vous au **248**.

329

Avant que la porte se soit refermée, vous avez eu le temps d'apercevoir à l'intérieur de la cabane une carte étalée sur une table montée sur tréteaux. Vous murmurez à Prarg ce que vous avez vu, puis vous lui dites de vous attendre pendant que vous allez examiner la carte : peut-être fournira-t-elle un indice susceptible de vous révéler où se trouve Magnaarn ? Progressant dans la neige avec une lenteur calculée, vous vous approchez du fossé qui entoure le camp. Vos facultés de camouflage vous permettent d'atteindre ce fossé et de vous y glisser sans attirer l'attention des sentinelles Drakkarims.

Pendant que vous vous dissimulez en attendant de pouvoir foncer jusqu'à la cabane sans être vu, vous remarquez que le modeste édifice offre deux voies d'accès : une porte et une fenêtre. Si vous choisissez d'utiliser la porte, rendez-vous au **295**. Si vous préférez emprunter la fenêtre, rendez-vous au **16**.

330

Essoufflé par les efforts que vous avez dû déployer pour venir à bout de ce monstre, vous vous écartez de sa carcasse et vous essuyez le sang de votre arme avant de la remettre au fourreau. C'est alors que l'écho d'un hurlement inhumain résonne dans le tunnel, un son terrifiant qui vous avertit que la créature que vous venez de rayer du monde des vivants n'était pas l'unique représentant de son espèce ! Vous n'avez pas la moindre envie de vous attarder à cet endroit, vous enjambez donc le corps de la bête et vous vous élancez le long du tunnel aussi vite que vos jambes vous le permettent. Vous ne tardez pas à vous retrouver dans une section du passage qui, au vu des amas de décombres qui jonchent le sol et des énormes lézardes qui zèbrent les murs et la voûte, a dû souffrir du récent séisme. Vous franchissez néanmoins ces obstacles sans ralentir et vous escaladez comme une fusée une volée de marches à demi effondrées avant de déboucher sur un palier où vous découvrez le cadavre d'un Drakkarim couché sur un monticule de débris qui obstrue la cage de l'escalier qui mène à l'étage supérieur. Un rapide examen de son corps vous révèle qu'il a les deux bras cassés : blessé et pris au piège par l'écroulement du temple, ce garde a fini par mourir d'inanition. Si vous voulez inspecter son cadavre, rendez-vous au **299**. Si vous préférez tenter de déblayer les gravats qui bloquent l'escalier, rendez-vous au **18**.

331

Vous rassemblez toute la puissance psychique que vous confère votre pouvoir Kaï pour ordonner à la créature d'abandonner son attaque mentale. Vous la voyez hésiter un instant. Mais cela ne dure pas car son instinct sanguinaire ne tarde pas à surmonter votre commandement et, poussant un rugissement, elle charge de plus belle ! Rendez-vous au **297**.

332

Invoquant le sortilège de la Main de Feu que vous a enseigné votre fidèle ami Banedon, vous pointez l'index sur le trio de Drakkarims. Aussitôt, une décharge d'énergie jaillit de votre doigt et va exploser au milieu de leur groupe, les projetant dans les airs comme de vulgaires poupées de chiffon ! Pris de panique, leurs camarades s'égaillent, vous laissant vous engouffrer dans la brèche de la barricade sans rencontrer d'opposition, avant de poursuivre votre course le long de la route. Vous avez franchi la ligne de défense intérieure de la ville mais, comme Prarg l'indique en tendant un doigt inquiet, il faut encore atteindre les défenses extérieures de Shugkona... Rendez-vous au **31**.

333

Vous quittez cette salle par l'arche encadrée par les deux curieux piliers, pour vous retrouver au pied d'une autre volée de marches. Au premier abord, la perspective d'une nouvelle ascension vous décourage. Mais un détail vous fait changer d'avis : un courant d'air frais et pur descend de ce passage ! Vous escaladez l'escalier quatre à quatre, stimulé par l'air qui devient de plus en plus froid à mesure que vous montez. Vous avez le temps de compter cinquante marches avant d'émerger dans une pièce jonchée de décombres. La seule autre issue est obstruée par un amas de gravats et des dalles de marbre fracassées. Ce n'est cependant pas sur cette porte que se concentre votre attention, mais sur un conduit circulaire qui s'ouvre au milieu de la voûte car c'est de là que provient le courant d'air. Plein d'espoir, vous vous approchez de l'ouverture. Le puits est obscur, mais vous pouvez distinguer une lueur de jour grisâtre loin au-dessus de vous, et vous entendez le sifflement du vent. Mais vous percevez aussi un autre bruit, tout à fait imprévu, celui-là. Un bourdonnement d'insectes. Concentrant vos sens sur la partie obscure du puits, vous découvrez que le bruit provient d'une multitude de nids d'insectes ailés fixés tout le long de la paroi. Si vous maîtrisez la Grande Discipline de l'Exploration et si vous avez atteint le rang de Grand Maître Principal, rendez-vous au **240**. Si vous ne maîtrisez pas cette Discipline, ou si vous n'avez pas encore atteint ce rang, rendez-vous au **281**.

334

Un carreau d'arbalète vous frappe dans le dos avec une telle force que vous êtes soulevé du sol. Un éclair de douleur vous déchire le corps, avant de disparaître en vous laissant dans un état d'hébétude. Vous retombez à plat ventre dans l'écume des vagues qui s'abattent sur la grève et vous vous rendez compte avec horreur que vous êtes incapable du moindre mouvement car le projectile vous a brisé la colonne vertébrale ! Dans les minutes qui suivent, vous vous noyez avec une lenteur abominable sous l'assaut de la marée montante. Ce sont les plus longues et les dernières de votre existence. C'est sur cette plage, par cette froide nuit d'hiver, que votre vie et votre mission prennent fin.

335

Vous avancez avec circonspection d'une centaine de pas le long du tunnel avant un virage... Et vous vous retrouvez en face d'une créature que vous n'auriez pu imaginer dans le pire de vos cauchemars ! Émergeant de la pénombre, une énorme silhouette contrefaite s'avance en vous fixant avec des yeux rouges. La bête est couverte d'une fourrure qui scintille dans la lumière verdâtre du tunnel et elle marche en tendant deux bras décharnés, à la façon d'un somnambule. Mais elle ne dort pas, loin de là ! Chacune de ses énormes mains étreint un long silex taillé en forme de poignard. Le monstre accélère le pas, son ventre proéminent se met à balayer le sol et une bave brunâtre s'écoule en longs filets entre ses crocs jaunis. Poussant un cri déchirant, la créature se précipite sur vous, fendant l'air de ses poignards primitifs. Vous êtes contraint de reculer d'un bond pour soutenir son assaut féroce.

CHASSEUR SOUTERRAIN	HABILETÉ : 44	ENDURANCE : 49

Si vous sortez vainqueur de ce combat, rendez-vous au **330**.

336

Comme un seul homme, les soldats Drakkarims empoignent leurs armes et se ruent vers l'entrée du silo. Vous vous retirez en hâte de la fenêtre et vous fouillez les lieux du regard à la recherche d'une issue car les bottes du premier poursuivant résonnent sur les marches de l'escalier ! Le cœur battant, vous vous précipitez vers une fenêtre ouverte à l'autre extrémité de la tour. Juste au-dessous, un cavalier Drakkarim est immobile sur sa monture, sa lance est enfoncée dans un fourreau suspendu à l'arrière de sa selle et, parfaitement inconscient de votre présence, il brandit un sabre à lourde lame en encourageant de la voix les fantassins qui s'engouffrent dans le bâtiment. Vous montez sur l'appui de la fenêtre et vous vous laissez tomber sur ce lancier... Utilisez la *Table de Hasard*. Si vous maîtrisez la Grande Discipline de l'Art de la Chasse, ajoutez 3 au chiffre que vous avez tiré. Si le résultat est inférieur ou égal à 4, rendez-vous au **153**. S'il est supérieur ou égal à 5, rendez-vous au **28**.

337

Le garde tombe à la renverse au fond de la tranchée en glapissant : « Gaz rekenarim ! Gaz rekenarim ! » Malgré ses cris, ses camarades réagissent avec lenteur, à l'exception d'un seul qui se saisit de sa lance au moment où vous bondissez par-dessus le parapet de la tranchée. Vous parvenez de justesse à éviter de vous faire embrocher, mais la pointe de son arme vous laboure l'épaule : vous perdez 2 points d'ENDURANCE. « Pour Sarnac et Lencia ! » rugit Prarg alors que vous atterrissez côte à côte dans la tranchée pour tailler en pièces ses défenseurs. Les quatre Drakkarims sont rayés du monde des vivants, sans même avoir eu le temps, pour trois d'entre eux, de s'emparer de leurs armes... Sans perdre un instant, vous vous hissez hors de la tranchée pour traverser au pas de course la dernière bande de terrain découvert qui vous sépare des bâtiments extérieurs de la ville. Tout en courant, Prarg vous désigne une ruelle qui s'enfonce entre les carcasses de deux hangars calcinés et vous vous y engouffrez sur ses talons. Rendez-vous au **178**.

338

Invoquant le sortilège de la Main de Feu, vous tendez le bras droit vers la porte. Une sensation de picotement se répand dans votre membre, de l'épaule à l'extrémité de l'index, et croît pour culminer dans une décharge électrique qui fuse de votre doigt et frappe la serrure de plein fouet. Le jet foudroyant fait voler en éclats la pierre qui entoure l'antique mécanisme, qui est pulvérisé ! Il ne vous reste plus qu'à exercer une poussée sur la porte pour faire céder le sceau de poussière et de moisissures accumulé entre le battant et le chambranle et la voir s'ouvrir dans un sinistre grincement. Rendez-vous au **11**.

339

Vous invoquez le sortilège de la Main de Feu, dont votre ami Banedon vous a enseigné la formule et, d'un geste calme et réfléchi, vous pointez l'index sur le chef de meute des Chiens de Guerre. Aussitôt, un jet d'énergie jaillit de votre doigt et fend l'air pour aller frapper l'Akataz entre les deux yeux, le projetant à plusieurs dizaines de mètres en arrière dans l'épaisseur du sous-bois ! Ses congénères se figent sur place, visiblement déchirés entre le désir d'assouvir leur faim dévorante et leur instinct de survie. En fin de compte, c'est lui qui l'emporte et, les uns après les autres, ils tournent les talons et détalent dans la forêt. Certain que les Akataz ne reviendront pas cette nuit, vous regagnez le bateau pour dormir un peu tandis que Prarg prend son tour de garde. Rendez-vous au **215**.

340

En scrutant la pénombre du gouffre, vous remarquez une corniche dans la paroi, à quinze mètres à la verticale de la position que vous occupez. Derrière cette corniche, vous distinguez une ombre noire qui n'est autre que l'ouverture d'un autre tunnel qui, avec un peu de chance, pourrait bien vous conduire à la surface ! Revigoré, vous invoquez la formule du sortilège de Lévitation et vous vous élevez dans les airs, échappant aux lois de la pesanteur. Vous montez sans effort vers la corniche. Parvenu à sa hauteur, vous reprenez pied et vous vous enfoncez dans ce nouveau passage... Rendez-vous au **64**.

341

Atterrés par la mort de leur chef, les Drakkarims survivants tournent bride pour s'enfuir dans la plus grande confusion sous les vibrants cris de victoire des Lenciens et des mercenaires. Mais ces hourras s'étranglent dans les gorges des vainqueurs lorsque, roulant à travers la plaine comme un formidable coup de tonnerre qui fait trembler le sol jusque sous vos pieds, l'écho d'un fracas assourdissant venu de Dhârk parvient à leurs oreilles. Tournant votre regard vers la cité, vous constatez que la bataille ne cesse de croître en intensité et qu'elle prend une tournure inquiétante. De fulgurants traits de feu magique dansent le long des remparts, engloutissant les combattants des deux bords. Vous reconnaissez là l'œuvre de Magnaarn et de ses diaboliques alliés Nadziranims. Puis, à travers les fumées de la bataille, un étendard Lencien se dresse fièrement au milieu du carnage qui ensanglante la plaine côtière au sud de la cité. A cet endroit, les Croisés sont parvenus à tourner l'ennemi par le flanc et ils s'enfoncent dans son centre affaibli. A la vue de ce drapeau, le Baron Maquin et le Capitaine Schera décident, sous les acclamations de leurs hommes, de marcher en avant pour soutenir la vaillante attaque des Croisés. Vous leur souhaitez à tous deux une heureuse fortune car le temps est venu de vous séparer. Leur destin les attend sur le champ de bataille, mais vous trouverez le vôtre à l'intérieur même des murailles de Dhârk où, si vous voulez accomplir votre quête, vous devrez affronter Magnaarn... Vos adieux achevés, vous les regardez s'éloigner le long de la plaine vers le champ de bataille à la tête de leurs hommes. Puis vous vous mettez en route vers le hameau qui se trouve à mi-distance des portes de la cité. Rendez-vous au **154**.

342

Dans une déflagration assourdissante, le mousquet du vieux Drakkarim vomit un nuage de fumée grise. Le phénomène effarouche votre monture mais vous parvenez à la maîtriser sans difficulté et vous la lancez au galop vers la route. Profitant de la confusion, vous vous enfuyez vers le nord à bride abattue, dissimulés aux yeux de vos poursuivants par le nuage de fumée... Vos oreilles tintent encore du fracas de l'explosion, mais la jument que vous avez eu la riche idée de dérober fait preuve d'une vigueur et d'une sûreté de pas réconfortantes. En dépit de la neige et de la double charge qu'elle doit supporter, elle vous porte sans faiblir sur plus de treize kilomètres avant qu'un obstacle imprévu en travers de la route ne vous oblige à la freiner en pleine course... Rendez-vous au **106**.

343

Dégainant tous deux votre arme, vous vous préparez au pire en guettant l'instant où le bateau va heurter le barrage flottant. Un silence de mauvais augure s'est abattu sur les alentours, comme si toutes les créatures des Marais de l'Enfer retenaient leur souffle dans l'attente que le piège se referme sur les deux voyageurs téméraires. Puis l'étrave du canot vient racler la masse d'herbe et un gargouillis déchire le silence. Une douzaine de monstres visqueux émerge des profondeurs du marais. Ils jaillissent des herbes flottantes et de l'épaisseur des bosquets humides qui garnissent la berge. Vous êtes cernés. « Des Ciqualis ! » s'exclame Prarg avant d'assener un coup d'épée à la plus hardie des créatures à tête bulbeuse qui tente de se hisser à bord. Sa lame sectionne net le poignet de la bête, expédiant au loin la patte palmée aux écailles luisantes. La créature retombe à l'eau en poussant un glapissement, mais elle n'a pas plus tôt disparu que deux de ses congénères agrippent à leur tour le plat-bord. Si vous avez un arc et si vous désirez en faire usage, rendez-vous au **180**. Si vous n'en avez pas, ou si vous ne voulez pas l'utiliser, rendez-vous au **7**.

344

En fouillant les divers coffres et les caisses qui encombrent la cabane, vous découvrez quelques objets susceptibles de vous être utiles dans la suite de votre mission :

Un anneau sigillaire
Un arc

343 *Une douzaine de Ciqualis visqueux émerge des profondeurs du marais.*

Trois flèches
Une épée
Un flacon de Potion de Laumspur (2 doses, chacune permet de reprendre 4 points d'ENDURANCE à l'issue d'un combat)
Un sablier
Une clef de laiton
Un poignard
Si vous décidez d'emporter un ou plusieurs de ces objets, n'oubliez pas de modifier en conséquence votre *Feuille d'Aventure*. Rendez-vous ensuite au **277**.

345

Lâchant les avirons, vous vous jetez dans le fond du canot dans l'espoir d'éviter le trait. Utilisez la *Table de Hasard*. Si vous maîtrisez la Grande Discipline de l'Art de la Chasse, ajoutez 2 au chiffre que vous avez tiré. Si le résultat est inférieur ou égal à 4, rendez-vous au **269**. S'il est supérieur ou égal à 5, rendez-vous au **77**.

346

Au bout de quelques secondes, Prarg se retrouve paralysé par le froid. Son corps se raidit et il disparaît sous l'eau. Courant à son secours, vous vous approchez du trou aussi près que la résistance de la croûte gelée vous le permet. Et vous apercevez son visage par transparence, plaqué sous la couche de glace. Ses yeux sont grands ouverts et un chapelet de bulles d'air s'échappe de ses narines et de sa bouche. Vous devez passer à l'action sans délai si vous voulez avoir une chance de le sauver. Si vous décidez de sauter dans l'eau pour le repêcher, rendez-vous au **94**. Si vous estimez plus judicieux de percer un second trou dans la glace à proximité de l'endroit où vous l'apercevez, rendez-vous au **238**.

347

Armé d'une farouche détermination, vous entreprenez de déblayer les monceaux de décombres qui obstruent l'escalier. La tâche est pénible et vous redoutez qu'il ne vous faille plusieurs jours de labeur pour atteindre le niveau supérieur. Vous êtes donc agréablement surpris quand, après quelques minutes de travail, vous voyez une ouverture apparaître au sommet du monticule. Une bouffée d'air hivernal passe par cette brèche, ravivant vos espoirs de regagner la surface. Réveillé par cet air pur, vous vous attaquez aux débris avec une ardeur renouvelée. Mais un bruit sinistre vient brutalement tempérer votre enthousiasme : quelque chose est en train de gravir l'escalier ! Si vous maîtrisez la Grande Discipline de l'Alchimie Kaï et si vous avez atteint au moins le rang de Grand Maître Principal, rendez-vous au **256**. Si vous ne maîtrisez pas cette Grande Discipline ou si vous n'avez pas le rang requis, rendez-vous au **285**.

348

La pointe de votre lance traverse la cuirasse du Chevalier de la Mort et pénètre dans sa poitrine à la hauteur du cœur, le tuant sur le coup. La violence du choc est telle que la hampe de l'arme se brise en deux et que vous manquez de vider les étriers. Mais vous vous maintenez en selle en vous retenant à la crinière avant de retrouver votre équilibre. Un instant plus tard, vous parvenez à la hauteur de la plate-forme de l'échafaud sur laquelle Prarg se débat avec une énergie farouche pour échapper à ses geôliers. Il y parvient juste à temps et se précipite vers vous. Poussant un cri sauvage, il bondit pour atterrir sur la croupe de votre monture. « En avant, Loup Solitaire, en avant ! » hurle-t-il. Vous talonnez le cheval avec vigueur le relançant au galop à travers la foule des Drakkarims en proie à la plus totale confusion. Vous vous frayez un chemin en force vers l'avenue qui s'ouvre au nord de la place, pendant que votre compagnon, les mains toujours liées dans le dos, est contraint de mordre à pleines dents le col de votre manteau pour éviter d'être désarçonné. Vous filez aussi vite que votre monture vous le permet pour sortir de la place et foncer au galop entre les rangées de baraquements et d'entrepôts qui bordent l'avenue nord. Des flèches jaillissent des fenêtres des bâtiments que vous longez, mais elles vont se perdre loin de leur cible. Des cavaliers ennemis se rassemblent déjà à la sortie de la place pour vous donner la chasse. Vous piquez des deux et, apercevant au loin un carrefour, vous faites appel à la Grande Discipline du Nexus pour libérer Prarg de ses liens. Peu après, vous franchissez l'embranchement sans ralentir et vous sentez vos espoirs grandir en voyant se dessiner devant vous la grand-route qui sort de Shugkona. Espoirs qu'il vous faut tempérer lorsque vous vous rendez compte que cette route est barrée ! Rendez-vous au **22**.

349

Aussitôt que le cadavre de votre adversaire a basculé par-dessus bord dans l'eau glacée, vous retournez Prarg sur le dos, tandis que les autres Ciqualis, privés de leur chef, disparaissent aussi vite qu'ils avaient surgi... Grâce à sa robuste constitution et avec l'aide de vos pouvoirs de guérison, Prarg se remet rapidement des coups reçus pendant son combat avec le chef Ciquali. Votre esquif a tenu le choc, ce qui vous permet de vous remettre en route sans tarder. Aussitôt l'obstacle contourné, vous hissez la voile et, poussés par les vents dominants, vous remontez le canal vers le nord. Cette rencontre imprévue et mouvementée vous a creusé l'estomac, vous devez prendre un Repas pour éviter de perdre 3 points d'ENDURANCE. Rendez-vous ensuite au **322**.

350

A l'instant où vous assenez le coup fatal à votre ennemi mortel, le funeste Sceptre de Nyras se désintègre dans un éclair d'énergie qui vous envoie rouler à plusieurs mètres, assommé par le choc ! Vous restez de longues minutes à l'endroit où la force de l'explosion vous a projeté, gisant sans connaissance sur les dalles glacées de la tourelle, jusqu'au moment où survient votre guide et compagnon, le Capitaine Prarg, qui s'empresse de vous ranimer. Ayant recouvré vos esprits, vous constatez qu'il ne subsiste aucune trace du Seigneur de la Guerre Magnaarn ni du diabolique Sceptre de Nyras. L'un comme l'autre ont été détruits à jamais. Prarg vous aide à vous relever et, le regard tourné vers le champ de bataille et vers la mer, vous découvrez un spectacle prodigieux. Des myriades de taches blanches se découpent sur les flots bleus du Golfe de Lencia, formées par les fières voilures de navires de guerre arborant l'étendard du Kasland... Les alliés de Lencia sont enfin là ! Grâce à votre détermination sans faille et à votre bravoure indomptable, la puissance maléfique qui ravageait ces terres et semait la mort et la désolation, n'existe plus. La destruction du Sceptre de Nyras annonce le renversement du cours de la guerre dans l'ouest. Les Nadziranims et leurs armées désertent le champ de bataille pour regagner les forteresses septentrionales, pourchassés par les forces alliées victorieuses. Enfin, les ultimes débris des troupes de Magnaarn sont bientôt balayés du Nyras qui, après bien des siècles, revient à ses maîtres légitimes... Afin de célébrer votre victoire sur Magnaarn et de vous exprimer leur gratitude, le Roi Sarnac de Lencia et l'Archiduc Chalamis du Kasland organisent à Vadera un fastueux banquet en votre honneur, au cours duquel votre modestie se trouve mise à mal par les éloges sans fin des puissants et les débordements d'un peuple en liesse qui voit en vous son héros national... Félicitations, Loup Solitaire ! Une fois de plus, vous avez su vous montrer digne de votre titre de Grand Maître Kaï, triomphant des puissances ténébreuses au mépris de tous les dangers. Mais votre lutte contre les forces du Mal est loin d'être achevée. Dès votre retour dans votre Sommerlund natal, vous allez devoir affronter un nouveau défi qui mettra encore une fois à l'épreuve votre courage et vos facultés. Mais vous en apprendrez plus en découvrant le seizième volume de la série du Loup Solitaire...